5000日後の世界

すべてがAIと接続された「ミラーワールド」が訪れる

ケヴィン・ケリー 著
Kevin Kelly
大野和基 インタビュー・編／服部 桂 訳
Ohno Kazumoto / Hattori Katsura

PHP新書

はじめに

五千日後に到来する、新たな巨大プラットフォームの姿

「ビジョナリー（予見者）」。本書の著者、ケヴィン・ケリーは、しばしばこう称される。ケヴィンは、GAFA（Google、Amazon、Facebook、Appleの四企業）などの巨大テクノロジー企業による「勝者総取り」現象や、すべてが無料化するフリーミアム経済の到来など、テクノロジーによって引き起こされる数多くの変化を予測し、的中させてきた。

インターネットが商用化されてから五千日（約十三年）後、ソーシャルメディアという新たなプラットフォームがよちよち歩きを始めた。そして現在は、ソーシャルメディアの始まりからさらに五千日が経ったところだ。いま、インターネットとソーシャルメディアは二頭

の巨象として君臨し、われわれの暮らしに多大な変化をもたらしている。では、次の五千日には、何が起きるのだろう？

ケヴィン・ケリーという稀有《けう》な思索家が予測する「次の未来の姿」。それは、すべてのものがＡＩ（人工知能）と接続され、デジタルと溶け合う世界で生まれるＡＲ（拡張現実）の世界**「ミラーワールド」**だ。

ミラーワールドでは、別々の場所にいる人々が、地球サイズのバーチャルな世界をリアルタイムで一緒に紡ぐ。**百万人がバーチャルな世界で共に働く未来が到来する**のだ。そこではリアルタイム自動翻訳機が活躍し、他言語がしゃべれなくても世界中の人と会話し、働けるようになる。ソーシャルメディア（ＳＮＳ）に続く、**新たな巨大プラットフォームの誕生**である。

新たなプラットフォームは、働き方や政府のあり方にも大きな影響を与える。地球のどこにいても誰とでも仕事ができる世界になれば、会社とは異なる形態の組織が生まれる。また、バーチャルが発展すると同時に、リアルで顔を合わせることによる価値はますます高まる。その結果、都市は産業ごとに特化し、「この産業で働きたいならこの街を目指す」ということになるという。都市間の人材の奪い合い競争も激しくなるだろう。

ケヴィンは、ミラーワールドでの勝者は、今はまだ無名のスタートアップ企業になるだろう、と予想する。**ミラーワールドは、次の何万もの勝者を生み出す**だろう。新たなビジネスチャンスの到来だ。

考えてみれば、現在は初代のｉＰｈｏｎｅが誕生してから、ちょうど五千日近くが経ったところだ。この五千日でわれわれの暮らしは大きく変わった。いまではスマートフォンの世帯保有率は80％を超えており（総務省令和二年情報通信白書より）、スマホがない生活を考えられない人も多いだろう。

ケヴィン・ケリーは「これからの五千日は、いままでの五千日よりもっと大きな変化が起こる」と予測する。そして、その多くは物理的な変化ではなく、人間同士の関係性や余暇の過ごし方、人生観などを変えていくものである、と。

なぜ未来を見通すことができるのか

ケヴィンは一九九三年、インターネットの黎明期《れいめいき》から雑誌『ＷＩＲＥＤ』創刊編集長を務め、これまでにビル・ゲイツやスティーブ・ジョブズ、ジェフ・ベゾスなど、伝説的な起業家たちを数多く取材してきた（『ＷＩＲＥＤ』はデジタルがもたらす経済・社会の変革を追う世界的な著名雑誌であり、各国で発行されている）。

約四十年間、シリコンバレーで多くの企業の盛衰を見つめてきたケヴィンは、さらに数百年に及ぶ巨視的な視点からテクノロジーを捉え、定義し、観察する――その姿勢は、まるで哲学者のようだ。目先の事象や最先端技術にとどまらず、長期に亘る歴史的思考をもとに導き出された予測こそが、ケヴィンの真骨頂だ。

ケヴィンの思考法は、**「テクノロジーに耳を傾ければ未来がわかる」**という言葉に集約されている。「テクノロジーに耳を傾ける」――一見、荒唐無稽《こうとうむけい》に思える言葉だ。本当にそんなことが可能なのだろうか？　詳しくは本書の後半に譲るが、テクノロジーの持つ「性質」を見極め、それが何を欲しているかを知れば、テクノロジーがもたらす変化、そして未来の姿も自然と明らかになるのだ。

本書は大きく二つのパートから構成されている。第１章から第４章では、ミラーワールドを中心に、ＡＩの進化など、新たなテクノロジーによって到来する未来図が描かれる。第５

章から第6章では、こうした未来予測の根幹にある、ケヴィンの思考法をひもといている。

いずれも、二〇一九年から二〇二一年にかけて、聞き手の大野和基と編集者の大岩央とで行なった、ケヴィンへのロングインタビューをもとにしたものである。インタビューはサンフランシスコにある緑豊かなケヴィンの自宅で行なわれたが、コロナ禍を挟んで以降はオンラインのテレビ会議システムで実施した。翻訳と解説は、元朝日新聞記者であり、これまでにケヴィンの著作を多数邦訳してきた服部桂氏に行なっていただいた。

それでは、未来への旅をはじめるとしよう。

大野和基＋編集部

5000日後の世界 THE NEXT 5000 DAYS

目次

はじめに

第1章 百万人が協働する未来

第2章 進化するデジタル経済の現在地

第3章　すべての産業はテクノロジーで生まれ変わる

第4章 アジアの世紀とテック地政学

第5章 テクノロジーに耳を傾ければ未来がわかる

第6章 イノベーションと成功のジレンマ

第1章

百万人が協働する未来

ミラーワールドが起こす大変化

テクノロジーに耳を傾ければ未来がわかる

私は一九九〇年代に著した本の中で、当時はありそうもなかった（巨大テック企業による）勝者総取りの法則やフリーミアム経済、収穫逓増《しゅうかくていぞう》の法則などの動きを予測しました。二十年後の大金持ちの一覧には、この法則のおかげで儲けたＩＴ業界の人々が並んでいると予想したのです。数十年経ち、その予測は現実のものとなりました。

そのため、「どのような発想をすれば、こうした分析ができるのか？」と聞かれることがあります。私が心がけているのは、テクノロジーに耳を傾け（listen to the technology）、それがまるで生き物であるかのように、**「テクノロジーは何を望んでいるのか？」と問いかけること**です。そしてテクノロジーが望んでいるものをどう助けようか、と注意を払うのです。

私は世界を非常にテクノロジー的な視点から見ています。世界を変化させ進歩させている主な力はテクノロジーであり、それは決定論的なもので、電気というものを発明すれば、次は必然的に電波を発明することになると考えています。この宇宙のどの惑星のどんな文明であったとしても、電気を発明すれば次は電波が来ます。そしてその次にはそれがＷｉ－Ｆｉへと続くのです。私は以前、『The Inevitable（不可避）』（邦題は『〈インターネット〉の次に来るもの』）という本を書きましたが、例えばオートメーション（自動化）のようなテクノロジーは不可避であるということです。

もちろん、その特性を決める選択肢――例えば、誰が規制し所有するのか、共有物かオープンなものか、商用か非商用か、あるいは国内だけか国をまたぐかといったような――この中のどれを選ぶかで、オートメーションというテクノロジーは大きく違ったものになります。しかしわれわれには、オートメーションを採用すべきか否かという選択の余地はありません。同様にＡＩ（人工知能）に関しても選択の自由はありません。後で詳しく述べますが、子どもを持つ際に遺伝子操作をするのもそうですし、もちろん人間自身を変容させることさえもです。しかし、どう進めるかを選択する余地はあり、そうした選択の結果で大きな違いが生じるのです。

これは人間の発達にも似た話です。例えば人として生まれ育てば、ティーンエイジャーになるかならないかという選択はありません。どういうティーンエイジャーになるかの選択はできても、ティーンエイジャーになるしかないのです。

同じことは文明に対しても言えます。もしわれわれが他の惑星に移住し、そこの地形や重力などが地球と似ていたら、文明はいまと非常に似たパターンで生じると断言できます。

百万人が各国からバーチャルで一緒に働く世界に

ＡＩはこれから五十年間にわたって、オートメーション化や産業革命に匹敵する、もっと大きなトレンドになるでしょう。

ＡＩなどのテクノロジーが進むと、これからは仕事の仕方が大きく変わると言われています。私の目に見えている未来は、いろいろなところで、**百万人単位の人たちが一つのプロジェクトで同時に一緒に働くことが可能になる**というものです。それはどういう仕事になるのか、そのために必要となるテクノロジーは何か、説明しましょう。

同時に百万人が働くためには、現在はまだない新しいツールが必要になります。例えば、**ＡＲ（拡張現実）の機能がついたスマートグラス**です。ＡＲは、仕事を相互に行なう場合に、物理的な交流を容易にするテクノロジーです。

このグラスを装着して、離れたところにいる人同士がテレプレゼンス状態（遠隔地にいる人とその場で対面しているような状態）で、デザインやサイズなどを共有しながら、車の物体レベルの共同作業を行なうといったイメージです（ちなみに、まだ一般的ではありませんが、マイクロソフトは二〇一六年にＡＲ機能を搭載したスマートグラス「HoloLens（ホロレンズ）」を発売しました。すでに倉庫や工場でHoloLensを装着して作業したり、トレーニングを受けたりしている人もいます）。

それ以外に必要なツールは、参加者に協力してもらうために、ある人が出したアイデアを取り入れて進化させ、改良していくためのものが考えられます。例えば、こうした仕事やプロジェクトにビジネスとして資金がつぎ込まれて支払われた場合、もともとの発案者にも還元される方法が必要になります。何らかの報酬も払われる必要が出てくると思いますが、そうした場合に、現在、ビットコインなどの暗号資産で話題になっている、ブロックチェーンのような技術が役に立つでしょう。

さらに、**リアルタイム自動翻訳**の大幅な進化について話さないわけにはいきません。特に英語に変換してくれる、ほとんどタダ同然の翻訳があれば、これまでにない規模の共同作業が容易になります。世界にはたくさんの才能を持った人がいますが、彼らが英語をしゃべれるとは限りません。ですから翻訳機能があれば、いままでは除外されていた人たちが意義ある形でプロジェクトや仕事に参加できるようになります。

デザインの世界では、オープンソース（ソフトウェアのプログラムが無償で公開されており、誰でも使えること）の自動運転の電気自動車を作る、といった例が考えられます。そうした（車を作る共同作業のために必要な）アクセスのための安価なスマートグラスを誰かがデザインして市場に出し、一緒に普及に努める。そうしたことはすべてリモートの共同作業でできるんです。

数年前にソーシャルブックマークサイトのレディット（Reddit）で、非常に短期間ですが百万人単位の人が集まってアートの共同作業実験をしました。百万の写真を画素として並べて、各人が自分の画素をコントロールできるようにして、全体の絵を変化させるというものです。ある人は誰かを雇って絵を描いてもらい、他の人は一緒に絵の上に絵を描くという作業を行ない、それはちょっとした画素戦争ゲームのような状態になりました。

この例はただのゲームに過ぎませんが、新しい何かを始めるには、楽しいことから始めないといけないですからね。そうした人々が作る、仮想現実のゲームのような世界、ある種のゲーム用プラットフォームも、今後の一つの可能性としてありえるでしょう。

ミラーワールドとは何か

近年私が提唱している、**「ミラーワールド」**という来たる**ＡＲ世界（拡張現実の世界）**も、深い共同作業が必要になる場です。

ミラーワールドとは、イェール大学のデビッド・ガランター教授が最初に広めた言葉です。ミラーワールドでは、スティーブン・スピルバーグ監督の映画『レディ・プレイヤー1』に出てくるように、現実の世界の上にバーチャルな世界が覆いかぶさることになります。

何百万人もの人が関わる、世界規模の何らかのレイヤーです。人々は現実世界ではそれぞれの住んでいる地域にいますが、同時に、他の場所にいる人と**地球サイズのバーチャルな世界を一緒に紡ぐ**のです。

ミラーワールドの最も基本的な説明は、「現実世界の上に重なった、その場所に関する情報のレイヤーを通して世界を見る方法」というものです。ＶＲ（仮想現実）は外界が見えないゴーグルの中でのバーチャルな世界ですが、ARは、スマートグラスなどを通して現実世界を見ます。すると**現実の風景に重なる形で、バーチャルの映像や文字が出現**します。

例えば、スマートグラスをつけて、とある古い家が建っている場所を訪れたとします。グラスを通してその古い家を見ると、そこがかつてどんな様子だったのかがわかるイメージ画像が、仮想的に重なって見える、といった具合です。

現実世界をガイドするのにも使えます。例えば、スマートグラスをつけながら歩くと、ある場所で、目の前にどちらに行けばいいかを示す青い矢印などが出てくる。もしくは何かのキャラクターが出てきて前を歩いて街をガイドしてくれる。また友人が事前に残したメモや、何かの広告などの説明が出てくる。彼らが以前に来たときに、あなた宛てのメモを残していて、そこにそれがずっと置いてあるといった具合です。

面会した人の胸元にバーチャルな名札のようなものが浮いて見えて、名前などを教えてくれる、といったことも考えられます。

他には、こんな例も考えられます。複雑な機械を直そうとするとき、ガイドの矢印が出てきて、どの部分にドライバーを当てればいいかなどを教えてくれる。あるいは、まるで誰かが真後ろについているかのように、あなたと同じ目線で機械を認識して、どう修理したら良いか音声でもガイドしてくれる。映像を重ねて使う応用例としては、そういったものも考えられますね。

ミラーワールドでは、歴史は動詞になる

ミラーワールドの世界では、歴史は「動詞化」します。例えば、有料のサービスになるかもしれませんが、**空間に手をかざしてさっと振るようにスワイプするだけで、時間をさかのぼってその場所に以前にあったものを呼び出せる。**あなたが東京の街を歩いているとして、そこに百年、二百年前の東京の街角の姿を選んで重ねて見ることができる。スマートグラスに搭載されたＡＩに「ここは百年前にどんな感じだったか」と尋ねればいいのです。そしてもう少し進んで、二百年前の姿はどうかと目盛りをずらすと、その時代の風景になります。その建物が過去からどう変化してきたかを見ることもできるのです。

観光用のサイトなどで使えば価値も出ますね。例えばローマに行って、この建物は廃墟になる前にはどんな姿だったかを問いかけると、それに重ねて昔の姿や周りにあったものなどを表示してくれ、過去のローマの姿から歴史を実感できるといった具合です。こういう情報

は、歴史に興味がある旅行者用に、誰か一般の人が作ってアプリにして売ってくれればいいのです。反対に、この場所が百年後にどうなるかを、アーティストたちがSFのように描いてくれるのもいいかもしれません。このように、ミラーワールドとはある意味で、三次元空間に時間の要素を加えた4Dの世界であるとも言えるでしょう。

世界中のどこにでも、実物と同じサイズのバーチャルな**「デジタルツイン」**が存在していて、スマートグラスをかけたときだけ、実物の上に投影されるというアイデアもあります。そうした場合に使われるスマートグラスは、ある意味スマホの次に来るもので、タブレットをいつもポケットに入れておくのではなく、それを身につけて画面を表示するウェアラブル装置として使います。

画面を表示したり電話をかけたりしたいときは、仮想的な画面をリビングに投影してくれます。また、バーチャルな友人や会社の同僚を映し出して、彼らと「会う」こともできます。あなたは自分の部屋の椅子に座っているだけでいい。するといろいろな情報が、あるべき場所に重なって見える。近い将来、現実の世界にある道路や部屋、建物など**すべてのもののデジタルツインがミラーワールドに出現するようになる**でしょう。

そしてそれは、私が先ほど説明したようなゲームやナビゲーション、授業やトレーニングなどあらゆるものに利用できるようになるのです。ちなみに、世界中で数億人に愛されている「ポケモンＧＯ」というゲームは、実際の場所にスマホをかざすと仮想的なキャラクターが画面に出てくるもので、ミラーワールド到来の片鱗《へんりん》を示してくれました。ゲームは常に、テクノロジーが培養される場所です。

なお、コロナ禍によって二十年ほど前にできたビデオ会議システム（Ｚｏｏｍなど）が実用的なものになりました。ビデオ会議システム自体は二十年ほど前からあったテクノロジーでそれほど変化もしていないのですが、それが非常に安価になり、使いやすくなって、誰もが使って慣れてきた。

これが思いのほか役に立つ良いツールだという発見は、多くの人にとっては衝撃でした。ビデオ会議システムの普及のおかげで、目の前の平たい画面に映る人に向かって話したり説明したりすることが当たり前になりました。これはミラーワールド実現のための先駆けになるのではないかと思います。

SNSに続く「新たな巨大プラットフォーム」の到来

ミラーワールドとはつまり、世界が機械によって認識《リーダブル》できるようになる、ということです。第一のプラットフォームであるインターネットは、世界中の情報をデジタル化し、検索可能にして答えを出せるようにしました。それこそが、われわれがいまも使っているウェブというものです。

その次の世代の大きなプラットフォームは、人間の行動や関係性を捉えて、人間同士の関係をデジタル化するというものでした。それは「ソーシャルグラフ」と呼ばれ、機械が人間関係を認識《リーダブル》できるようにしたもので、人間関係や行動に対してAIやアルゴリズムを適用できるようになりました。第二の大きなプラットフォーム（ソーシャルメディア、SNS）の出現です。

そして、それに続く**第三の大きなプラットフォームが、物理的な全世界をデジタル化したもの（ミラーワールド）です。**現実の世界や関係性を検索し、それを利用して新しいものを生み出せるよう、AIやアルゴリズムを適用するものです。その優れた点は、それらを見る

図1　ミラーワールドは、第3の巨大プラットフォームになる

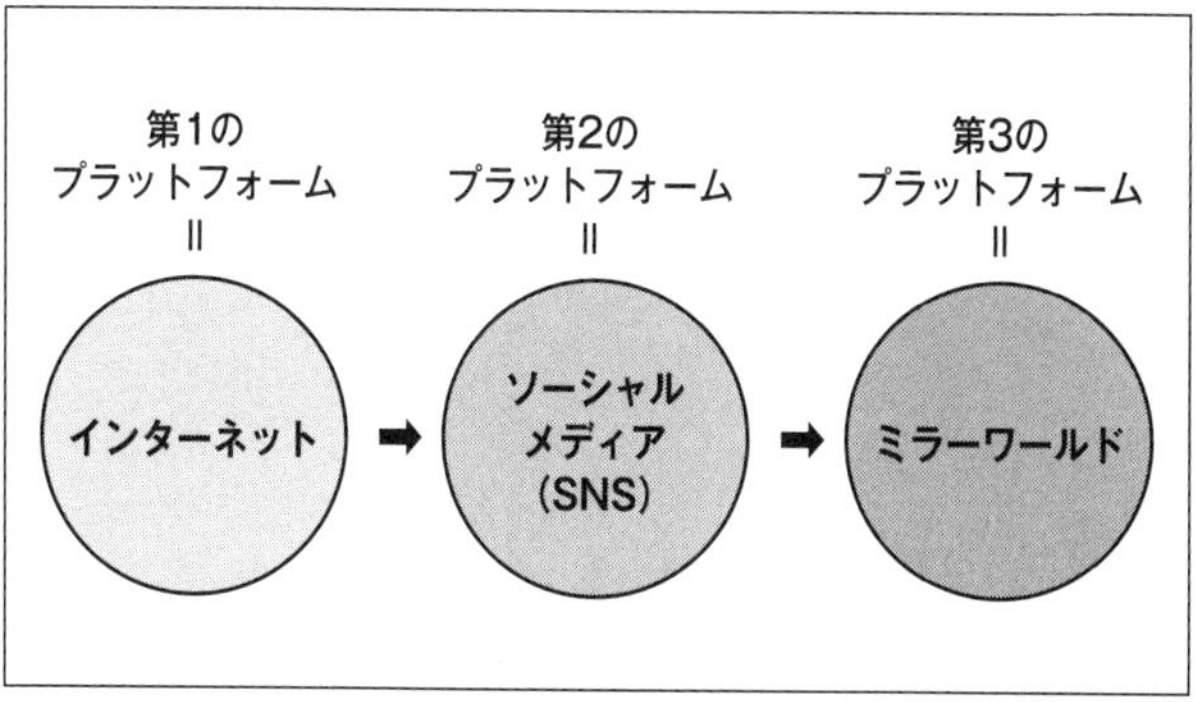

ことができるだけでなく、対象がデジタル化されているので、機械がそれらを読める《リーダブル》ということです。

ミラーワールドはよく「空間ウェブ」と呼ばれますが、それが三次元の広がりを持ったものだからです。空間的な世界を現実世界で利用可能なものにするためには、われわれが作るあらゆる人工物をその一部として構成しなくてはなりません。

それは「マッピングをする」ということで、例えばある部屋や家の（位置関係の）地図を作ってミラーワールドの中に位置付けます。「この家は外に通りがあるので隣家とつながっており……」などといった関係性を示したものがセマンティック（意味的）な関係性で、それは非常に具体性のあるものです。

似たような試みとして、われわれはかなり前から、モノのインターネット（ＩｏＴ）についても論議してきま

した。ＩｏＴは、非常に小さなチップを付けたラベルを、すべての瓶《びん》や椅子や本に貼ると、それらが無線でインターネットにつながり、電力も供給されるという仕組みでした。しかし物理的な形で接続するのは難しく、これまで長いこと、意味的な関係を定義できるインターネットとしての「セマンティックウェブ」は不可能と言われてきました。そこで、それよりも画像などで現実の空間にあるものを認識して、すべてのものをセマンティックに接続する方が上手くいくということになったのです。

例えば、スマートグラスをつけて、セマンティックウェブの世界にいたとします。そこで机を見ると、水の入ったコップがあったとします。それを見る行為によって能動的にコップが検知され、この世界のマッピングがやり直されます。そしてその結果は、具体的な配置を知っているＡＩに報告され、ＡＩはコップを個別に分離したうえで、そこにコップがあると判定するのです。

私はコップが机の上にあることに気づき、先週からずっとそこにあったのと同じものと理解し、それを動かせば何かが起き、それを持ち上げて相互作用が起きる。ＡＩはそのコップの種類や誰が作ったものかも教えてくれる。

ですからこのコップはある意味、接続されたものになっています。それはチップによる電流によってではなく意味による接続で、その対象が他のすべてのものとの関係において位置が決まっており、その意味付け（位置付け）はＡＩを介して行なわれます。

基本的にＡＩが私の部屋を覗《のぞ》いている形になり、個々のものを認識し、ブランド名や製品番号まで認識していて、いつそれがこの家にやって来たのか、どのように販売されたのかと、それが何かを実際に知っているのです。現実的にそれは、電池の入ったチップを介して電気的にもの同士がつながるという形ではなく、意味的なつながりなのです。

すべてがＡＩと接続される

つまりセマンティックウェブとは、世界が構造化されて意味的につながっていることを指す言葉なのです。私が部屋を横切っていると、「いまは歩く動作が行なわれている」という、ある種の理解がウェブ上に発生するのです。

ＡＲはこうしたセマンティックな世界への道筋を付けてくれるものですが、それを実現するためには安価で優秀なＡＩがどこにでも存在していることが必要になります。

こうした、情報の意味までを扱えるセマンティックウェブの世界になれば、ＡＩがいま目にしているものの材料や人の名前を教えてくれることになります。そうなるとわれわれの生活にとってどんな良いことがあるのでしょうか？

例えば自分の買ったものについて、その生産地などについても知ることができるようになります。飲み水がどこから来たかと気になれば、ボトルを見ただけでわかるようになり、関連情報もわかって自分なりの判断ができるようになります（気にしない人は知る必要がありませんが、私はいつも産地や原料などが気になります）。

スーパーに行って、並べてある野菜を見ただけで「有機栽培・産地はメキシコ」などとわかるということです。もしくはあなたの好物かどうか、グルテンフリーかどうかや、アレルギーに関する情報もＡＩが教えてくれます。それ以外にも、その野菜を使った面白い料理のレシピ、誰がこれを食べているのか、カロリーはどのくらいか……といった様々な情報も示してくれます。

このように、情報には二段階が考えられますね。まずは商品そのものに対する注釈で、もう一つは気づきを与えてくれる情報です。あなたは商品について説明したりタイプしたりする必要はありません。**興味を持ったものを見つめるだけで、それがあなたを認識します。あなたはただ、尋ねればいいだけです。**まるであなたの後ろに誰かが座っていて、ちょっとささやくだけで質問に答えてくれる感じです。

あなたへのお勧めを教えてくれる、といった形もあるでしょう。書店の棚の前を通ると「この本ですよ」と点滅して教えてくれるような使い方です。

ミラーワールドは新たな力と富を生み出す

勝者はGAFAの誰でもない

では、ミラーワールドをビジネスの観点から考えてみましょう。まず、ミラーワールドを運営する主体は誰になるのでしょうか。

現在のインターネットの運営は政府ではなく、DNS（ドメイン名システム）を管理するNPO団体です。しかしそのシステムを走らせているサーバーは主に会社の所有です。インターネットを運営している団体は、アメリカにあるかアメリカ資本と思われていますが、米政府が運営しているわけではありません。運営しているのはアメリカの市民と団体なんです。

こうした現状を踏まえて考えれば、未来においてミラーワールドを運営するのは、少なくとも西側諸国では政府以外ということになるでしょう。商用である必要は必ずしもなく、NPOや他の組織団体が底辺の部分を支えてくれるでしょう。

またグーグルのクロームやアップルのサファリのように、大手の会社が、ネットのブラウザーに当たる製品を提供する可能性もあります。上位のレベルでは会社が関与して来るのです。

ミラーワールドを動かすビジネスモデルはどういった形になるでしょうか。まずは、現在のインターネットやソーシャルメディアのように、広告収益モデルになることも考えられます。しかし、人々のアテンション（注目）を集めることが唯一の収益源となるのは、あまり望ましいシナリオではありません。

ミラーワールドでは、人々のアテンションを高い解像度で追跡し、操作することが可能になります。つまり、ユーザーが簡単に搾取されてしまうのです。長期的には、ミラーワールドは水道やブロードバンドのように、毎月定額を支払う**サブスクリプション・モデル**になることが考えられるでしょう。

とはいえ、**こうしたＡＲの世界での勝者は、ＧＡＦＡのどの会社でもない**と思います。破壊的テクノロジーの歴史を振り返ってみれば、ある分野で支配的だった者が次の時代のプラットフォームとしてそのまま残ることはありませんでした。一時期、コンピューターを作っているＩＢＭに対抗し、非常に多くの競合社が製品を出していました。でもどの会社も成功

図2 これまでの勝者と次の勝者——破壊的テクノロジーの歴史

	Ⅰ期	Ⅱ期	Ⅲ期	Ⅳ期	Ⅴ期（未来）
勝者	IBM	マイクロソフト	グーグル	フェイスブック	まだ知られていないAR企業
富の源泉	ハードウェア	ソフトウェア（OS）	検索機能	ソーシャルメディア	AR技術（拡張現実）

することなく、ＩＢＭに逆らっては金持ちになれない、と冗談めかして言われていました。

しかし、やがてそのＩＢＭさえその地位から去ることになりました。コンピューター本体のハードウェアではなく、ソフトウェアの会社がその地位を奪ったのです。ウィンドウズを作ったマイクロソフトの勝利です。

これに対抗して、多くの人が自作のＯＳでマイクロソフトと競い合い、失敗しました。マイクロソフトにＯＳで対抗するのはやはり無理でした。そのマイクロソフトを押しのけたのは誰か？　それは検索会社のグーグルです。彼らはＯＳを作ろうとしたのではなく、検索の会社を作ったのです。

多くの人がまた、検索の分野で必死にグーグルを押しのけようとしましたが、誰も成功しませんでした。そのグーグルを押しのけたのは誰か？　ソーシャルメディア会社のフェイスブックです。そしてまた、何千もの会社がソーシャルメディアを作ってはフェイスブックに対抗していますが、彼らも勝てないでしょう。**次に勝つのはARの会社**でしょう。

そのため、IBM、マイクロソフト、グーグル、フェイスブックといった大会社が全て、ARの世界で主導的地位に立ちたがっています。歴史を参照するなら、彼らのどれも勝者にはならないでしょう。彼らは自分の成功に囚われてしまっているのです。そこで成功するのはきっと、いままで聞いたこともない、ソーシャルメディアの外にいる小さな会社だと思います。

以前に書いた『ニューエコノミー勝者の条件』の中で私は、「勝者総取り」や「収穫逓増」の法則について述べました。新しいAIが生み出すミラーワールドという資本主義の世界でも、収穫逓増の法則がなくなるということはないでしょう。

それは（利用者が増えれば増えるほど利用者同士やその外部にとっても益になるとされる）「**ネットワーク効果**」と呼ばれるものの一種で、本来的にどんなネットワークにも当てはまります。この傾向を超える何かがあるとは考えづらいですね。

われわれが資本主義に対してできることは、それが持っている傾向を利用するか飼い慣らすかしかなく、除去することはできないと考えます。ミラーワールドにおいては、成功を収める小さな開発会社がたくさんできると思います。もし将来、ARのミラーワールドの世界で大きく成功した会社があるとすると、こうした環境を支える**何万もの小さな勝者が出てきます。**「勝者総取り」の法則が環境を創出することで新しい標準が生まれ、それに準拠した何千万もの事業体が誕生するということです。

それは言語の生成と似ています。ある言葉が社会的に認知されると、綴りが固定化するように意味や使い方が固定化されます。そうやって英語のような言葉ができれば、それのおかげで、非常に多様な本や書き物などが生み出されます。つまり、ある種の大型の勝者がいくつかあると、それのおかげで何万もの小さな勝者が可能になるということです。**新しいチャンス**なのです。

ミラーワールドは、すでに静かに動き出しています。そしていまでも二千ドル（約二十二万円）程度のスマートグラスを買えば、そのデモを見ることもできます。

今後十年ほどのうちに、仕事の現場で使える何らかのスマートグラスが出てくるでしょう。主にオフィス仕事以外の、例えば現場での機械修理、工場での訓練や労働、製品開発をする工業デザインにおいて、ミラーワールドのようなものが使われると思います。大企業ではデスクトップ代わりに使われているかもしれないし、学校にも入っているかもしれません。

そして今後約二十五年のうちに、より実用的なスマートグラスができて、一般人も使えるようになると思います。それまでは、家庭ではなく会社での利用や、ゲームでの用途が主となるでしょう。

拡張現実は「もう一つの選択肢」となる

次に、コインの裏側も見てみましょう。ミラーワールドのテクノロジーについて、「われわれの社会を監視社会にし、大きな意味で人間を機械化してしまうのではないか」「一体それによって、人間はより幸福になるのか」と聞かれることがあります。

幸福についての話は、非常に込み入ったものになりますね。現在も幸福については研究が行なわれ、幸福の定義方法や、人々が幸福かどうかを判断する基準などが論議されています。最近の研究では、様々な種類の幸福があることがわかってきました。

こうした研究についていろいろ聞いてみると、進歩と幸福には関係があるということがわかりました。これまでは金持ちで繁栄している人ほど幸福だということになっていましたが、**最近は富があっても幸福さが増すということはなく、かえってそれが否定的に捉えられています。**

「ARやミラーワールドは人々をより幸福にしてくれるのか？」という質問に戻りましょう。正直に言えば、私にはわかりません。しかし思うに、人々は健康で自分の時間を自由に使えれば、より幸せになったと感じるでしょう。他人に支配されずに自分の行動を自分で自由に決められれば満足です。それこそテクノロジーがわれわれに与えてくれる、**選択肢の多様性**です。

昔は、理髪師になったら理髪師のままだし、肉屋も肉屋のままでした。しかし現在は、タクシーなどの運転手なら、ウーバーに転職できるでしょう。古い選択肢はそのままですが、自分の時間を過ごすために新しい仕事や選択肢もできてくる。それらが増えるということは、自分が一番興味を持てる仕事や得意な役割を選びやすくなり、おかげでもっと幸せになれるということです。選択肢が増えることで、より多くの人が自分に最適なものを見つけられるようになるんです。

どんな新しいテクノロジーも解決と同時に問題ももたらします。重要なのは、それをどうやって減らすかということです。私が提案したいのは、データをきちんと追跡することで、まずはテクノロジーをいつでも計測して評価するということです。

ＦＤＡ（米食品医薬品局）では新薬が発明されると、安全か効果的かをテストして許認可するのですが、その後はもうテストはしません。しかし人々は、こうした薬が市場に出ると、本来とは違う他の目的に使い始めます。薬はある目的のために作られ、それに関連してもっと有効な使われ方もしますが、こうした新しい使われ方に対するテストは行なわれないのです。ＦＤＡは一度テストしたらそれが未来永劫有効だと考えているのです。

同じことがテクノロジーでも起きています。新しい車を出すと、その後はそれをテストしたりその良さを評価したりはしません。二十年前に安全だと認定されたので、それをいまさらテストする必要はないと考えます。しかし私は**一年ごとにテクノロジーを評価し直さなくてはならない**し、すべてのテクノロジーに対して良い面と悪い面を評価して信頼性を確保しなくてはならないと考えます。

新しいテクノロジーはよく、欠陥があったり障害を生じたりするはずだからそれを罰するべきだと考えられますが、何に比較してそうなのかを決めるのが難しいのです。古いテクノロジーと比較するだけなら障害は生じます。しかし古いテクノロジーに関しても、きちんと計測して評価して記録を保持しなくてはならないのです。

それはデータを基に行なうのがいいでしょう。人々は新しいテクノロジーは上手くいかないという前提で管理し、想像だけでそれをどう使うかを決めてしまうのです。私ならそのテクノロジーがこれまでのところどうだったか、と具体的なデータに基づいて評価します。想像上の未来をもとにした評価ではなく、証拠に基づいて評価すべきなのです。

つまり、ミラーワールドのテクノロジーに関しても、恐れる必要はないものの、監視し、関心を持つ必要があり、それを上手にやらなくてはなりません。恐怖に怯えると人は理性的に行動できなくなり、バカげたことをしてしまいます。ですから利口に、注意深く、意識を持って監視するのです。

まったく新しい働き方が到来する

いまはない新しい組織の形ができる

ＡＲやＶＲによる共同作業が進むことで、会社と呼ばれる組織自体がどんどん無意味になっていくのではないか、と思われる読者もいるでしょう。フリーランスが増えて、ちょっとした頼まれ仕事で経済が動く、いわゆるギグ・エコノミーが進展するのかどうか、という予想もありますね。

一般的にテクノロジーは、どんどん累積していきます。古いものが消えてしまうことはほとんどありません。現在のようにフェイスブックやグーグルといった超巨大企業がある時代でも、夫婦で経営する小さなレストランは残っていますし、それらは消えるどころか、以前にもまして増えています。ですから株主が支えるグローバル企業が消えてしまうということもないでしょう。たぶんそれに加えて、もっと多くの組織が作られるはずです。

フリーランスはおそらく今後も増えていくでしょう。現在のところまだ世界の人口は増加し続けているので、あと五十年はこうした動きが続くと思います。

注目したいのは、これまでは存在しなかった種類の組織ができないか、できるとしたらどんなものになるかという話です。例えば**ギットハブ**（GitHub：プログラムのコードやデザインのデータを世界中の人が保存・共有できるサービス）などでは多くの人がゆるく共同作業をしており、誰か一人が経営しているとか、上司から直接命令されるような形にはなっていません。新しい仕事の形についてはまだいい名前が思いつきませんが、これからはより多くの組織が仕事をしてお金も稼いでいくと思います。

いずれそういうものが一般的になっていき、それなりの地位を確保するでしょう。しかしそれらが会社組織を廃業に追い込むとか取って代わるということはなく、「もう一つの選択肢」になっていくと思います。

それはまるで非営利企業のような成長をして、**自分のやりたいことに合わせた、会社とは別の形態としての選択肢になる**でしょう。そして様々な組織とは別の、非常にゆるいネット組織になっていき、営利的だったり非営利的だったりの非常にフラットなものになるのです。

現在で言えば、キックスターター（Kickstarter：アメリカのクラウドファンディングサイト）に人が集まるのと同じだと思います。例えばあなたがある製品を作ろうと思ったとき、いくつかの筋道が考えられます。一つは会社を立ち上げて資金を集めて製品を発表するという方法。もう一つはキックスターターで、ある程度の資金調達をする方法。両者の違いは、その資金を出すのが投資家か消費者かという違いです。

つまりキックスターターは商用の会社に取って代わるものではなく、もう一つの選択肢なのです。そしていま話題にしているような組織は、何かを成し遂げようとするときに、いろいろな方法の補完的な役割で何かを足していくものになります。

現在注目されているテクノロジーはパソコンと通信が結びつき始めた三十五年ほど前から始まったもので、それは共同作業を推進するための、主にコミュニケーションのテクノロジーでした。様々なものがどれも共同作業に関連するもので、ずっと続いており新しいものではありません。

そのためには物理的にその場にいる必要があり、それが限界でもありました。実際に会社に行って共同作業するしかなかったのです。個別の参加者はあまり情報を持っておらず、情報はほとんど上司から降って来るのです。建築現場などではそういうやり方ですね。

しかし新しいテクノロジーを使えば、チームの誰もが同じ情報を共有して共同作業ができるのです。情報はフラットになり上司に頼らなくてもよくなる。**全員がスマートグラスで同じ情報を直ちに得られる**のです。各人が自分の責任において共同作業を遂行できるようになり、それは労働形態を問いません。フルタイムでもパートでもリモートでも良いのです。つまり、リアルタイムで働けるもっと新しい方法を生み出していくことで、仕事のスケールもアップしていきます。

また、物理的に集まって働く場合は、同じ部屋に数十人ほどが限界でしょうが、VRを使えば千人でも可能です。千人との共同作業とはどんなものでしょうか。以前、エリック・ウィテカーという人が、音楽監督として合唱の指揮を担当して、仮想コーラスをすることにしました。リモート会議の方式を使って、世界各国の二千人の歌手に同じ歌を合唱してもらうもので、それは美しい歌声でした。

ですから彼らは日常のリアルな生活の中ではほぼ不可能な共同作業をできたわけです。それは共同作業のためのツールの性能を挙げた一例に過ぎません。ブロックチェーンやウィキペディア、ギットハブもそうしたツールで、もっとそうしたものが増えていくでしょう。

こうした**リモートで共同作業する人はどんどん増えていく**でしょうね。皆が集まってインキュベーションできるような場がもっと増えていくのではないでしょうか。

ちなみに、私は仮想的なリモート環境について力説はしていますが、物理的に人が対面するのも非常に効果的で価値がある話です。例えばＭａｋｅｒというリアルイベントがありますね。そこにはインキュベーター（起業を支援する事業者）や開発を加速するための人が集まります。こうした仕掛けはとても有効です。こういう場は決してなくならないでしょうね。

唯一言えることは、選択肢がいろいろと広がっているということです。いままでは一つしかなかった方法が増え、昔のやり方も残したうえで新しいやり方を活用するのです。そうして二つのやり方をミックスして、**スマートグラスを使って、例えばカンボジアやベトナムからも参加してもらえばいい**んです。以前にはなかった、仮想的なリモート環境で行なう仕事が増えたということです。それでも物理的な現場で顔合わせもします。ハッカーやインキュベーターが集まる場所はずっと続くし、成果も出るし役に立ちますから。

ブロックチェーンの可能性

ウィキペディアやギットハブの問題は、そこにお金が介在していないことです。お金のやり取りが始まったとたんに話は非常に扱いづらいものになってしまいます。まず信用を担保する前提が成立しなくては、非常にコストがかかってしまいます。

本章の冒頭で、ARによる共同作業を可能にするために必要なツールの一つとしてブロックチェーンを紹介しました。暗号通貨やブロックチェーンなどの新しいテクノロジーは、こうした共同作業の場における**支払いを容易にするツール**となる可能性があります。オープンソースのままではなくて改良した商用レベルのものができて、将来は開発者などに補償がされる形になるでしょう。

これはいうなれば、人々が作業やアイデアを提供してくれる非常にオープンなネットワークがあった場合、それらで詐欺や悪戯《いたずら》が起きないように追跡できるようにするということですね。ある人が仕事をしてくれた場合、それがシステムの中に埋もれたり、すり抜けたりした場合でも、ブロックチェーンを使えば誰のものだか確認できるようになるのです。それぞれの仕事には担当者が存在しているので、仕事と彼らを勝手に分離してはいけません。

会社組織でそれを使う方法もあります。現状では会社での会計処理は一括処理方式です。毎月、毎週、もしくは毎日に一回という方式です。しかし実際に流れてくるデータはリアルタイムなので、ブロックチェーンを使って、来た個々の取引をその時点で処理していきます。そうすればリアルタイム型の会計処理ができますね。

またアイデンティティーに関しても、他人と自分の全データを共有することなく個々のアイデンティティーを維持するのに役立ちます。ブロックチェーンを使って、すべてのデータを開示しなくとも、**本人であることを保証する**のです。

指紋や虹彩《こうさい》、声紋などによって自分を特定する生体認証などと一緒に使われ、そうしたデータは見る権限が与えられた人にしか開示されないようにするのです。つまりこうしたインターネット関連のセキュリティーに役立つということです。

仕事と遊びが融合する時代

高齢者よりも若者が失業する時代に

日本では人生百年時代と言われ、これから先は七十歳まで働かなくてはならなくなると言われているそうですね。こうした高齢者がARやVRといった最新のテクノロジーについていくのは困難ではないか、と心配する人もいるかもしれません。

しかし、私は七十歳の老人が、最新のテクノロジーについていけないという考え方には反対です。少々苦労はするとは思いますが不可能ではありません。現在の老人は新しいことには手を出さないものと考えられていますが、それも変わるでしょう。

私の子どもたちは二十代ですが、彼らは七十代になっても、新しいテクノロジーを受け入れられるようになると思います。彼らはそういう風に育っています。彼らはそう望み、それがその世代の文化なのです。さらに、七十代の人が新しいテクノロジーを学ぶことができないという仮定もおかしいと思います。自分の知っていることにこだわる保守的傾向があることは問題でしょうが、それは実際には大きな利点でもあります。

七十代の人の職探しについては、ある意味そこまで憂慮していません。むしろもっと大きな問題は、そのような七十歳や百歳の人が周りにいる中で、二十代の若者が職を得ることです。実際には若い世代のための場を確保することです。

つまり、七十代の人たちがテクノロジーを大いに使いこなしていたら、二十代の人はたまらないですよね。七十代が何でもできて、長い経験もしていて新しいテクノロジーも得意だったら二十代の人に職がなくなってしまいます。

ですから、もしそういうことになったら、**七十代の経験豊富な人に二十代が負けてしまう**ことの方が心配です。七十代は新しいテクノロジーに対処できるし、私ももうすぐ七十歳ですがどんどんやる気になっています。

仕事を再定義せよ

日本など多くの国では高齢化が問題になっていますが、アメリカでも、もし移民を受け入れなければ、若い世代の人はいなくなるんです。実際に若い人が減って、高齢化の問題が起きているのは間違いないですね。ですからもし移民を受け入れないのなら、七十代の人たちを再教育して、若者の代わりをしてもらうというのも可能性としてはあります。

そうなると、仕事自体や人々がどう給与を得るか、仕事に何を期待するかといった定義さえ変わっていくと思います。仕事がどうあるべきか、苦しくて傷つくものでいいのか、そしてそれをどう埋め合わせしていくか、といったことに関して、いろいろな考えが出されていきます。ですからそれは、われわれが仕事と呼んでいるものを再定義するための大きなチャンスと考えるべきでしょう。

もし私が現在働いているかと問われれば、そのようにも思うし、そうでないような気もしますが、それはたぶん私が特異な立場にいるせいなのかもしれません。しかし多くの人々が自分のしたいこと、例えば人助けをしたり、子どもたちに教えたりしており、それを実際に仕事と見なしてもいいでしょう。彼らはそれを大いに楽しんでいるので、仕事とは感じていないでしょうが。

そこで私が考えるのは、**長期的な観点からは仕事と遊びの区別がなくなる**ということです。この二つはまったく重なり合っていて、テクノロジーや富の区別はできなくなり、それが仕事であるかどうかを区別するのが難しくなります。それこそがゴールであり、そこを目指すべきなんです。

しかしそこに至るには、様々な段階を踏まなくてはならないでしょう。現在の高齢者にとっての仕事は、出社してタイムカードを入れて、いたくもないのに何時間もずっと会社にいて、それらに耐えると給料をもらえるというものでしたが、そういう方式ではいけないし、変えなくてはならないと思います。

第2章

進化するデジタル経済の現在地

ＡＩ化という新たな産業革命がもたらすもの

これから五十年間は「ＡＩの時代」が続く

いまの時代を的確に表現するのに、「○○の時代」というような言い方をするなら、どういう言葉がふさわしいでしょうか。

まず、われわれは人間以外の知性としての**「ＡＩの時代」の最初の段階にいる**と思います。先に述べたように、ＡＩはこれから五十年間にわたって、オートメーション化や産業革命に匹敵する、もっと大きなトレンドになるでしょう。様々なものに知性や感情を組み込むことで、新たな産業革命のような変化が起きるということです。

そして人間の知性がこの星を変えてきたように、そうした他の知性もまた世界を変えていきます。それが今後の未来へつながっていくのです。本章では、ＡＩがもたらす巨大な変化について、考えていきます。

付け加えれば、これからは**「没入型コンピューティングの時代」**ということも言えるでしょうね。われわれを取り囲む環境すべてがコンピューター化して、いわゆる「ユビキタス・コンピューティング」とも呼ばれるような時代が始まりつつあるということです。

コンピューターは持ち歩いたりデスクトップに置いたりするだけではなく、どこにでもあるものになり、われわれがコンピューターに取り囲まれ、それらが反応する世界に没入して、まるでコンピューターと生きているような環境ができていきます。このことについては、前章でも触れました。

また、今後百年の範囲で考えるなら、**「新生物学的な時代」**が来るでしょう。ＡＩなどのツールが、われわれの身体や生物学的現象を改造するために使われる時代になっていくということです。これについては、第３章で詳しく述べます。二十一世紀が終わる頃には、それが新生物学的な世紀であったことに気づくでしょう。

ＡＩはこれからますます進化を遂げる

実は、現在のところ人間の知能や人工知能とは何かについて、きちんと語れる人はいません。人の脳の認知能力には様々なものがありますが、現在のＡｌｐｈａＧｏ（グーグルが開発した、ＡＩによる囲碁ソフト）や機械学習といったものは、その一つのタイプである認知能力を人工的に作ったに過ぎません。

現在ＡＩは、パターンを認知していろいろやってみているだけです。ＡｌｐｈａＧｏでやっていることは、チェスＡＩや顔認識で使っているのと同じ手法です。そのパターン認識のトレーニングのためには、何百万もの事例を学習させなくてはなりませんが、そうした知識移転がいままさに行なわれている最中なんです。

つまり、われわれが脳の中でやっているほんの一部を合成して作ることしかできていない、ということです。それは人間の知能というものの中の、ほんの一部です。しかし先ほど述べたように、それがどんなものであるかも、まだ正確にはわかっていませんし、動物の知能の仕組みもわかっていません。ですから、五十年経って歴史を振り返ったときに「あの頃はまだまだだった」と振り返ることになるでしょう。

もともと専門家はいませんでしたし、それについて知っていると思われていた人も大したことはわかっていませんでした。それはまるで一九五〇年代にロケットの話をするようなものです。五〇年代にはロケット開発が始まったばかりで、まるでロケットというものについてはわかっていなかった。現在の状況はそれと同じで、このあと三十年から五十年経ったらどうなっているかさえわかりません。

すでに大学出のＡＩ専門家に年間二十万ドル（約二千二百万円）という高額な給与が払われているようですが、**彼らも五十年後には何もわかっていなかったと言われるでしょう。**現在は非常にハードルが低いので、専門家になるのもとても簡単なのです。ニューラルネットワークについて少々知っているだけで、世界的な権威になれる状態です。スタートアップしただけで、あっという間に世界的権威になれます。何らかのＡＩシステムをただ作り、それに関連する何かをするだけで、世界で誰もしていなかったことをできるのです。

ＡＩ化に適応できない人などいない

私は以前、著書で「ＡＩは不公平な格差を広げることはなく、二〇五〇年に最も儲かる仕事は、オートメーションや、まだ発明されていないマシンに関連するものだ」と述べました。ＡＩは今後少なくとも五十年、もしくはもっと長い期間、進歩してわれわれを混乱させるでしょうが、「ＡＩが仕事を奪うのか、生み出すのか」に関する論議や話し合いはその間もずっと続くでしょう。

しかし**五十年経てば、一般的に新しいテクノロジーは仕事を奪うよりは増やすのだ、と理解できるようになる**と思います。とはいえ、ある仕事はなくなるでしょうが、全体としてはもっと多くのものが出てきます。その時代にはさらに新しい種類のＡＩが出てきて、人々はまたいまと同じような心配をしているでしょうね。

また、講演などで「科学やイノベーションはもともと本質的に非効率なものなので、効率性や生産性の追求はロボットなどに任せた方がいい」と言うと、「イノベーションを起こせるようなクリエイティブな人材はいいが、それ以外の、クリエイティブでなく生産性という指標のみで測られる仕事しかできない人はどうすればいいのか？」と聞かれることがあります。

私は「生産性や効率だけに特化した人などいない」と思います。それはあたかも、古代の階級社会で上流階級に生まれた人が、下層階級に生まれた人を劣った血の人として見下しているような話です。そして現在ではこれと同じ偏見が、クリエイティブな仕事ができない人に向けられており、それはまるで間違っていると思います。

五十歳でずっと同じ仕事をひたすら続けてきた人でも、正しい動機を与えて助けてあげれば絶対に変わることができます。それは学校に行けばできるという話ではなく、**自分のアイデンティティーを変える**、というもっと大きな話です。社会全体がそういう意思を持てば、変わることはできると強く信じます。

例えば、アメリカの軍隊では、教育を受けていない若者が入隊した際に、いろいろなハイテクのスキルを、迅速に広範に身につけることができます。ですからこうした研修のプログラムをもっと大規模に行なえばいいのです。

働き詰めた高齢者が再チャレンジするのは確かに難しい話です。しかし、大切なのは人生観で、職業や家庭環境を変えるという話ではなく、自分のアイデンティティーを変えるのです。人間はそうしたことには、実は順応性や熱意があるものなんです。

では、それを実現するための環境やスキル、教育はどんなものになるのでしょうか。それは、**コミュニティーによる支援**です。こうした人になりたい、こういう種類の人がいいという役割モデルが必要です。

工場で働く多くの男たちは、男らしさのイメージを持って男っぽく生きていますが、彼らは自らがなりたい人物のイメージを別途持つ必要があります。それはコミュニティーであり、起業精神という治療法です。なぜなら多くの人はほとんど考えることなく自分の仕事をしており、自分にとってそれに価値があるとも思っていないからです。そうなるとかなり大がかりな話になりますね。

とはいえ、アメリカはイラク戦争で二兆ドル（約二百二十兆円）以上の浪費をしています。二兆ドルもですよ！　もしそれだけの金額を再トレーニングに使えたら、皆のために役立ったのに。少なくともいまのアメリカには、あれこれ実行するための予算はあると思います。

退屈な仕事はＡＩに任せ、クリエイティブな仕事で生きられる時代に

私は以前から**「もし何千もの『本当のファン』を獲得すれば、多くのクリエイターは一生食べるのに困らない」**と提唱しています。未来に使われるＡＩのイメージは、多かれ少なかれ繰り返しの多い退屈で効率が求められる仕事用ですね。そうした面倒なものはＡＩに投げて、自分たちは自由になって、もっとクリエイティブで効果的な仕事にいそしむという話です。

すでに何百万もの人がユーチューブに投稿するようになっています。そこで発揮されている創造性は驚くべきものです。彼らは本職のプロではなくて、他に仕事を持っている人々で

す。しかし彼らは二百年前だったら、どこかで農業を営んでいて、何か新しいことをする時間も余裕もなかったはずです。

しかしいまでは彼らは週に数時間かけて何かの作り方や、あるものの仕組みなどについて、他人に説明しようと映像を作っています。そうした創造性はテクノロジーを使う前から彼らの中にあり、テクノロジーで生み出された時間を活用してクリエイティブになってシェアすることで開花したのです。

ユーチューブなどなかった二百年前にも、農家の中には家の裏庭で誰も褒めてくれない変な彫刻などを作っている人もいたでしょう。しかしいまでは、農家でも世界中とつながることができるようになり、その彫刻をすごいと評価してくれる人が千人程度いるかもしれないのです。昔はそんなことは無理でしたよね。

今は、**百万人に一人でも面白いと思ってくれる人がいればいい**のです。ユーチューブやインターネットを使って誰でも何十億人に向かって発信することができ、その中で千人規模のファンを見つけられるということです。

自分がクリエイティブではないと思っている人でも、これからできるテクノロジーによってそうなれるのです。

私の母親の時代には、料理は毎日行なわなければならない家事で、それがクリエイティブなことだと考える人は誰もいませんでした。しかしいまではユーチューブやネットフリックスのショーで、クリエイティブ・クッキングがどんどん公開されており、昔と似たようなレシピでも、それがクリエイティブであると評価されています。

何かを集めたり、裏庭に風車を作ったり、裁縫をしたり……と、どんな興味であっても、世界中で評価してくれる人がいて、それをシェアすることで他人から励ましや賛辞をもらえます。彼らはあなたがクリエイティブになれる動機付けをしてくれるのです。

汎用AIなど存在しえない

とはいえ、ＡＩは万能ではありません。私の元同僚であるスチュアート・ブランドは、雑誌『ホール・アース・カタログ』に「われわれは神のようになり、それが得意にならなくてはならない」という副題を付けました。われわれが神のような力を増進させているのは確かでしょう。全知全能で無謬《むびゅう》な存在という意味ではなくて、新しいものを創造できる、もしくは何かを創造できるものを創造できるという意味です。

究極の神は世界を創造するわけではありません。世界を創造することのできる生きたものを作るのです。つまり二次的な創造ですね。

ですから一から創るよりは簡単です。世界を創ることのできる、他の者を創る神になればいいのです。この定義で言うなら、われわれは神になっていき、ＡＩとかロボットを作って、それらのうちのどれかが、意識を持って自由意思で創造活動できるレベルまで達して、彼らが新たな他の発明をできるようになる。そうなった時点でわれわれは神になったと言えると思います。

とはいえ私は汎用ＡＩというものは信じていませんし、それは神話に過ぎないと思います。それは人間の自己中心的な発想のせいで、知能に対する間違った理解から生じたものです。というのもこの星では知的存在は多くなく、人間は特異な存在なので、自分が汎用の知能を持っていると考えてしまう傾向があるからなのです。

そもそも、私はわれわれの知能に汎用性があるとは思っていません。**人間の知能は何百万年もこの星で生き残るために進化した狭くて特異な合成物でしかない**のです。すべての可能な考え方や精神の空間の中のずっと端に存在しているだけです。ですから汎用ＡＩというものはなくて個別のＡＩしかないと思います。

それはわれわれが汎用の身体を持っていないのと同じです。われわれの身体はアフリカのサバンナで生き残るために進化したもので、汎用ではないのです。

地球上のすべての動物の体は、生き残りのための非常に個別の特殊なものです。それはわれわれの知能についても言えます。

もしわれわれが宇宙のすべての他の知能を調査できたとしたら、彼らの知能はまた違った様々な種類の非常に多様なものでしょう。

そして**これから作られるAIもそれぞれが単機能なものになるでしょう。**確かに多くの仕事をこなせる汎用的なものもできるでしょうが、台所で使う調理器具のようにナイフやヘラなどの機能をすべてこなす器具を作ったとしても、個々の機能は大したことがないのと同じで、本当の汎用AIではありません。

例えば、AIがもっと賢くなったら株式市場に強い影響を与えるかもしれませんが、誰もがAIにアクセスできるようになると、その効果は相殺されてしまうと思います。株式市場はもともと予想不可能ですが、AIが使われれば使われるほど逆に予想ができなくなるのです。誰か一人だけが使っているなら上手くいくかもしれません。しかし、誰でもが使えるようになると、お互いが効果を帳消しにしてしまいます。そのせいで予測はさらに困難になっていきます。

ＡＩが生み出す変化を思考する方法

最近では、ＡＩを搭載した自動車など、いろいろなものとＡＩをかけあわせるようになっています。私は以前「ＡＩと組み合わせるのが最も不可能だと思えるようなもの」というリストを作り、その最後に「編み物とＡＩとの組み合わせ」を書きました。しかし、実際にはすでにこの組み合わせは実現してしまいました。

先日ドイツの人からある手紙を受け取り、その中で編み物に関するＡＩプログラムを作ったと書かれていたのです（笑）。ですから、何かに知性を付与したり、あるいはより「スマートに」していったりということにはまったく驚かなくなりました。むしろＡＩで驚くべきことが起こるとしたら、ＡＩを付けたことによる**副次的な効果**です。

どういうことか説明しましょう。ＳＦの大家、アーサー・Ｃ・クラークはこのようなことを言っていました。「オートメーションを想像するのは非常に簡単だ。すべてが自動化される、例えば馬車が自動車になるというようなことを想像するのはいとも簡単なことだ。しかし、オートメーションによって真に重大なインパクトがもたらされたのは、車の登場による副次的効果だ。例えば、道路の渋滞、あるいはラッシュアワーの発生。あるいはドライブインスタイルの映画館……そういう副次的な効果、つまり最初の導入から波及していくものを想像するのが難しいんだ」と。

だから「XとAIが組み合わさったら」という部分を想像するのはやはり同じように容易であり、二次的な影響を考えることこそが困難なのです。

こういった二次的な効果を考えるときに、私がどのように思考するかをお伝えしましょう。例えば自動車の場合です。自動車が世界中に遍在する、つまり**ユビキタスになったときにどうなるのか**ということを想像します。そうすると、渋滞とか、あるいはラッシュアワーといった現象が出てくるということになります。

AIに置き換えてみると、やはりそれらが遍在するようになったとき、すなわち皆が持っていていろいろなところにあり、そして特に目につくものではなく、もう当たり前のように生活に浸透した場合にどうなるかということを考える。

少数だけではなく、皆が持っているという状態になったとき、例えば一部の人たちは「そういうＡＩはまったく使わない」という生活を送るようになるかもしれない。あるいは、遍在するＡＩ同士のコミュニケーションが行なわれるようになったら、またまったく違う世界が生まれるでしょう。

違うレベルのＡＩが別途生じたりして、ＡＩとＡＩの間の関係も面白くなってくるかもしれない……そういうストーリーが、面白いストーリーへとつながっていく。私はいつも、そういう風にものを考えています。

ＧＡＦＡ後の世界

二十五年以内にＧＡＦＡの代替わりが起きるだろう

アマゾンの創業者ジェフ・ベゾスは、**「いつかアマゾンは潰れる」**と言っています。ＧＡＦＡは二十五年ぐらいで代替わりし、いまほどの勢いはなくなってトップの座にはいなくなる。ただし、いなくなるには百年はかかるでしょう。破産して買われたものの、シアーズ（アメリカの百貨店）さえもまだなくなっていません。二十年ほど前にすでにトップではなくなりましたがずっと残っていました。

ですから、アマゾンも二十年後も存在し続けると思いますが、来世紀までには消えるかもしれません。非常に大きい会社なので、サーバーの部分だけなど一部は残ると思いますが。

フェイスブックはたった一つの実体しかないので、その地位は危ういでしょうね。グーグルはあまりに普及していて、消えるとは思えません。しかしグーグルの現在の検索機能は残っても、ARでの検索は別の企業が担うかもしれません。ともかく**一代か二代のうちには、GAFAの地位は変わる**でしょう。

アマゾンを除く三社は多くの従業員を雇っていません。そうした会社は社員一人当たりの収入は高く、その状態が続くでしょうし、成長もしていくでしょう。GE（ゼネラルエレクトリック：アメリカの大手電機メーカー）のように雇用を生み出すのは、大会社の義務であり良いことだと言う人もいるでしょうが、私は逆だと思います。必要以上に増やす必要はありません。

チャンスはどこにでもあり、様々な雇用形態がありうるので、一社で多くの従業員を抱えるのは得策だとは思えません。人が多いと企業文化を変化させるのが難しくなるし、一人当たりの利益率は下がっていくでしょうから、従業員を減らすのはいい話だと考えます。

現在では大きくなることが呪いであるかのように、アンチ巨大化が流行りです。しかし私はそうは考えません。ネットワークにとっては、大きいことが非常に自然ですし、大きくなれば他人にも役立つのです。ずっとそのままでなくならないというのも困りますけどね。

大会社は将来大きくなる会社に取って代わられ、またその会社が次の会社に取って代わられます。しかしそれらが大きく支配的である間は、消費者や開発者などの関係者にとっては益となる環境ができているのです。

それに、大きいからこそ得られる可能性も存在します。もし月に行こうと思ったら、大きなシステムで大きなロケットを作らなくてはなりません。宇宙ステーションを作ったり地球温暖化を防いだりするためにも、大きなものを作らなくてはなりません。ですから最近流行の「アンチ巨大化」は間違っており、もっと大きな計画やもっと大きな目標を立てるには大組織がなくてはならないのです。

こうした大きな組織が人間の力で支えられ、環境的にも生態学的にも維持できる良いものにしなくてはなりません。巨大組織は、良くも悪くもなりえるのです。

GAFAへの規制は無意味だ

先に述べたように、巨大テクノロジー企業による独占が問題視されており、これらの企業に対して、これから規制や制限が強化されることになりそうです。しかし、多くの人が気づいていないのですが、**大会社を規制すると結果的に彼らの力を強化してしまいます。**その結果、競合企業が戦えなくなってしまいます。大会社は規制によるコストを負担できますが、小さな会社にはそれができないからです。

規制は消費者にとってはいいことですが、競合企業にとって益はありません。今後デジタル業界での規制は強化されるでしょうが、結局は大会社を強くするだけで、彼らを抑えることはできないのです。

規制はスタートアップ企業には痛手です。例えばＥＵのＧＤＰＲ（ＥＵ一般データ保護規則）に対応するためには大変なコストがかかり、企業は積極的に対応したがりません。しかしフェイスブックやグーグルは、いくらでも資金があるので規制に従う分は払ってそこに居座ります。一方、スタートアップにとってそれは不釣り合いな重荷で、競争力を削がれます。

つまり、競争という点では、規制は独占状態をかえって悪化させると言えます。これまでは、独占状態によって製品価格などが上がって消費者に害が及ぶことが懸念されてきましたが、現在の独占状態では、ネットワーク効果により、消費者に害は及びません。逆にすべてのものが安くなり、消費者は得した状態になってしまう。現在の独占状態により懸念される問題は消費者ではなく競争であり、規制が実際には競争状態を悪化させるという点です。

規制はすべてを公平にするためのものですが、その恩恵にあずかれるのは主に消費者です。競争を促進するための規制なのに、そういう問題点は曖昧なままです。

確かに競争条件を担保するような革新的な規制もあるかもしれません。七〇年代から論議された世界最大の電話会社だったＡＴ＆Ｔの分割は、もともと競争を増すために行なわれたものであり、実際この決定は競争を促したと言えます。

電話会社を乗り換えても番号をそのままにできる番号ポータビリティのシステムも、競争を促すためのものです。自分の電話番号を他の業者のサービスでも使えれば、携帯電話会社の乗り換えが容易になります。それ以前には番号を変えなくてはならなかったので、他業者に乗り換える人はいませんでしたが、この規制が新たな競争を生んだことになります。

ですから、競争に役立つ規制があることも確かです。しかし、少なくともアメリカでは、独占という思想は消費者に向いたものなのです。ですから、競争自体の弊害について考えるよう、発想を転換しないといけないでしょうね。つまり独占という言葉を再定義しなくてはならないということです。

にもかかわらず、アメリカでは司法省がデジタル業界の市場に対して、フェイスブックやグーグル、アマゾンなどが競争状態に反する行動をしていないかと調査を始めています。政府による反トラスト法に関する動きはいつでも後手ですね。政府は手遅れになってから初めて動き出すのです。つまり、いまさら手を出す必要はなくなっているということですね。

いま起きている独占は非常に一時的なものなんです。ARのような新しいテクノロジーが出てくるので、長くは続かないでしょう。現在は「自然独占」（複数の企業で生産するよりも一社で生産した方が効率的な場合に、自然に起きる独占）が起きていますが、これは長続きしません。そして一般的には、アメリカの政府が興味を持つのは、それらがピークを迎えてからなんですよ。

次のトレンドが起き始めて、前の時代に支配していたものを追い出し、スマホのようなものが**次のものに代わるのに十年単位の時間がかかります。**マイクロソフトやAT&Tの動きも数十年かかりました。

ですから司法省が口を出しても、来年解決というわけにはいかず、十年はかかります。そして十年経って問題が解決された時点では、その規制はまるで効果のないものになっているのです。規制と直接関係のない何かが、自然にそれらを追い出してしまうからです。

それに私が指摘したように、当事者が目指すものが変化して独占の定義自体も変化してしまい、対処するのは非常に難しくなるのです。それに変化の速度はものすごく速いので、効果は不十分なものになってしまいます。

巨大企業を解体しても何も解決はしません。こういう話はフェイクニュースと同じで、それを追い散らしてもなくならないし、何の影響も与えません。それを治癒するカギは人々が文句を言っている部分にはなく、一見効果がなさそうなところにあります。解体して傷つけるより、彼らが目指しているものと違う解決法があるなら、それを早めに行なっておく方に意味があるかもしれません。

問題は、大きければ大きいほど得するという「ネットワーク効果」に対して、十分対処できる効果的なツールがないことです。あるものが良くなってほしくない、と主張するのは非常に難しい話です。何かをより良くしないよう元に戻してほしい、と言うようなものですからね。

ですから昨今、大きいことに対して皆がアレルギーを起こしているのは、間違っているし誤解だと思います。大きいことは良いことでありうるのに、大きいということ自体がともかく嫌いで、何でも悪だと言う人がいますが、やみくもに反対するべきではないと思います。

「新たな石油」ビッグデータをお金に換える仕組み

今後は、**データを統治し管理する取次会社のようなものが出てくる**でしょう。誰もが自分に関するデータを自分で管理するという考え方です。自分のデータに関する懸念があっても、それを自分で管理するのはあまりに手間がかかるので、不動産取引をするときのように代理人を頼むのです。建物や家を買う際に不動産会社に頼むように、個人情報の管理も代理人に委託するのです。

特にあなたの個人情報の価値が高い場合は代理人が必要です。情報に価値があるにもかかわらず、誰もお金を払ってはくれません。もしこうした取次会社を利用する場合、われわれはすべてのデータを彼らに渡し、彼らがわれわれの生活を一日中追跡します。そしてデータを渡した相手から、例えば五ドルなりを徴収し、そのうち一ドルの管理手数料を取って四ドルをこちらに渡してくれるという仕組みです。

ビッグデータは非常に価値が上がっていますが、それにはいくつかの理由があります。今後十年ほどの期間は、ＡＩを訓練するために何百万規模のビッグデータが必要になるのです。最大級のＡＩの会社がビッグデータの会社であることは偶然ではなく、現在では**データを持っていなくてはＡＩで商売はできない**からなのです。

こうしたＡＩに最初に影響を受けるのは、非常に大量のデータを扱っている金融業界や医療や小売り業界です。データを持っているからこそＡＩに影響されるのです。つまりビッグデータは、消費者や企業のものづくりに必要なだけでなく、ＡＩを動かすためにも価値があるということです。

現在のところ、個人情報の利用の規約に関してはいろいろなサイトに長々と書かれていますが、誰もそれを読んではいません。必要なのは具体的にあなたの代理をしてくれる会社です。消費者はそういう話を理解できないでしょうから、私も自分を代理してくれ、実際に働いてくれる、弁護士のような人材を必要としています。

彼らはすべての問題を探って一番の条件を見つけてくれるのです。そういう人を**データ代理人**と呼んでいますが、弁護士のように問題を理解して必要な点を見つけ出し、利益をもたらしてくれる人です。

重要なことは、**われわれ消費者が、他人とシェアしているデータからもっと利益を得るべきだ**ということです。いまのところ、こうした価値はＧＡＦＡなどの大きな会社が吸い上げています。それでもかまいませんが、全部を持っていくのはどうかと思います。だから、その中からわれわれにも還元してもらう方法を考えるべきなのです。

なお、ビッグデータの活用にも規制は必要だと思いますが、それは最後に行なうべきですね。テクノロジーを規制する難しさは、あるテクノロジーが発明された時点では、それが何の役に立つのかが考えただけではわからないということです。それを日々使ってみることで、それが何の役に立つのか立たないのかを判断しなくてはなりません。

ですからそのテクノロジーについて完全に理解する前に、何をすべきか合意も得られないまま、拙速な規制をしてしまうのは危険です。**規制を使う一番良い方法は、合意に基づくものです。**そのテクノロジーについてどう使っていいのかの社会的合意が得られてから規制すればいいのです。

われわれは現在、まさにソーシャルメディアについて合意を形成している最中です。それが実際にどう動くのか、どう人々に影響を与えるのか、どういうデータがあるのかを探っている途上にあります。**われわれはまだ、ソーシャルメディアを五千日強しか使っていない**にもかかわらず、悪いところをほじくり出して法律を作ろうとしてしまいます。まだ途中の段階なので、規制を作るのは最後の段階でいいのです。

プラットフォームが次の経済のカギを握る

資本主義の未来は、いまの政府や会社のようなものとは思えません。まず政府があり、プラットフォームがあり、会社があるという形です。そしてプラットフォームの勃興の先に未来の資本主義があります。近年では、世界的に活動するＧＡＦＡやテンセント、バイドゥなどの大企業がプラットフォームを運営していますが、プラットフォームは、会社でも政府でもない中間的な存在であることがわかってきたのです。

一九八〇年代までは、会社と政府とＮＰＯがあり、ＮＰＯは第三セクターと呼ばれていました。ですからプラットフォームは、この三つに加わる第四の要素になりますね。

プラットフォームは会社によって経営されるものの、政府的な機能を果たします。オープンな性格で誰にでも開かれ、いろいろなサービスを提供し、社会保障番号のようなＩＤも発行してくれます。プラットフォームは以前政府がやっていた仕事も代行してくれます。

しかし経営形態は株主と会社です。形態はハイブリッドで、両者に属さない多くの性格も持っています。人々はプラットフォームで多くの時間を過ごすことになり、ある種のメディアとして、つまりニュースも伝わるメディアとして、昔の第四の権力とも言われていたメディア企業のような働きをしますし、エンタメの機能もあります。

それ以外には、流通モデルとして、電話会社のように商売もします。ユーチューブのようなサービスやグーグルの検索サービスのような役割も果たします。

最近はグーグルがいろいろな質問に答えてくれるので、公共図書館を利用する人々も少なくなりましたが、図書館のような役割も持っています。以前は政府が図書館に資金を出していましたが、いまではグーグルがそれを行なっており、かつて政府が担っていた検索機能はこうしたプラットフォームの仕事になるのです。

新しい形の資本主義は、こうしたプラットフォームを理解し発展させることで進んでいくでしょう。プラットフォームを運営するＧＡＦＡのような世界的企業は政府と似ており、同じような権力を持っていますが、政府のような責任はほとんど負っていません。われわれは全員で、彼らの役割と政府との関係を理解している最中なのです。

この新しいプラットフォームが、政府のように公平さを保つ役割を果たせるかは未知数です。私もまだそれがどんなものになるのかわかりませんが、**資本主義の未来はプラットフォームの進化次第**だと思うのです。

第3章

すべての産業はテクノロジーで生まれ変わる

食の未来

クリーンミートが変える食

私が現在最も注目しているテクノロジーのひとつが、バイオテックです。先日、バイオ関連に特化した、あるインキュベーターに会いに行きました。サンフランシスコにあるインディーバイオ（IndieBio）という会社です。そこを通して、かなりの数の**クリーンミート**（培養肉）の会社が立ち上がっています。そこではスタートアップ企業がひしめいていました。一年の間に十五社ずつ二回、つまりこのインキュベーターだけで毎年三十社も新規起業しているんです。

その中の一社であるニューエージミーツ（New Age Meats）とかなり長い時間話しました。他にもインポッシブルフーズ（Impossible Foods）、ビヨンドミート（Beyond Meat）、メンフィスミーツ（Memphis Meats：のちに社名をUPSIDE Foodsに変更）といった同じような会社がありません。それらの会社は、植物由来の成分や動物の細胞を使って、デスレスミート（動物を殺さない肉）とも呼ばれている人工肉を作っているんです。

培養肉の豚肉は、豚の細胞や脂肪、筋肉を備えていますが、豚を育てて取ったものではありません。動物を殺さないうえ、もっと健康にいい肉にしたり、味を変えてみたり、肉質を高めたりすることもできます。いろんな手を加えられるんですよ。そしてその効率性たるや大変なもので、骨などの不要な部分は作らず、肉だけを作るんです。それに、与える栄養は基本的に豚に与えるものと同じ大豆とトウモロコシなんです。

まるでＳＦ映画みたいな話ですが、望めばどんなものにでもできます。**クリーンミートの産業は大きく成長して、重要な産業になる**と思います。私のように十五年も豚も牛も食べていない人も食べられる肉を作るのです。

私の食生活は「テキサス式菜食主義」というもので、魚や鳥は食べるが、豚、牛、羊、馬などの哺乳類は食べません。自分で殺したとしても罪悪感を覚えないものしか食べないのです。私は家の庭で鶏を飼っていて、食べることになれば殺しますし魚も大丈夫です。しかし豚は非常に賢い動物ですから食べません。とはいえ、殺す必要がないなら喜んで食べると思います。そこで人工肉を受け入れるのです。他にも、人工肉であれば、宗教上の理由から豚を食べないユダヤ教徒でも食べられますよね。

バイオテックのスタートアップは、他にチーズも作っています。例えば、乳糖やコレステロールの入っていないモッツァレラチーズなどです。味はまるで同じですが、牛から直接作ったものではないのです。アジアでは乳糖アレルギーの人も多いですが、乳糖やコレステロールを含まないどんなチーズも作れて、味は同じなのです。これは大きく成長する予感がします。

こうした手法はバイオテックの応用です。私が訪れた企業には醸造タンクのような装置があって、まるでマイクロブルワリー（小規模醸造所）のようでした。醸造と同じようなテクノロジーを使っており、ブルワリーと同じような機械が揃っています。ですからこうした企業はかなり大きく成長すると思います。

新しいバイオテックにより、いままでと違う種類の肉を作れたり、栄養価の高い食品ができたり、味も良くなったり、個人の好みに合わせることもできるなど、新しい価値が加わります。

デジタルで起きたように、バイオテックでも速度が上がり、選択しやすくなり、種類が増え、個人に合わせられる、という変化が起きます。これが**X-バイオロジー**です。

バイオテックに投資マネーが集まる背景

サンフランシスコ南部だけでもバイオテックの会社は二百社ほど存在し、シリコンバレーの他の地域にもさらに百社ほどあります。

ベイエリアの周りには巨大なスタートアップの生態系が出現しており、それらはクリーンミートから始まって、使い捨て有機プラスチック、新しい魚の養殖法、建材、空気の浄化まで、食料にとどまらない非常に幅広いバイオビジネスを展開しています。

近年多くのバイオテックのスタートアップができている理由はいくつかあります。まず、バイオのツールやテクノロジーが非常に進歩して、あまりお金をかけずにこの分野に参入することが可能になったのです。以前には遺伝子を操作・デザインする手法が限られていたせいで、この分野に参入しようとすると多額の資金が必要で時間もかかりました。ですが、最近ではこうしたツールがどんどん増えて広がってきました。

第二に、前述したようなインキュベーターの存在です。あるアイデアを持った若者たちが出会ってインキュベーターのところへ行けば、以前は何百万ドルもかかるようなプロジェクトを、すぐさま開始して四カ月以内に製造を始められるようになったのです。
実験のツールが安くなり、いろいろ複製する手段も揃っています。そこでいままでは、ビール造り用のタンクやポンプなどと同じような器具で、実際の製品を製造できるようになったのです。

さらに、外部委託することもできるので、自分ですべての段階を踏まなくてもいいのです。それこそ、この（スタートアップの）生態系のすばらしいところで、ある会社からある素材を手に入れ、ここの配列決定は外部委託し、ここは他の人にやってもらう……というようにできるのです。その場でプロトタイプ（試作品）と実際の製品を作れる支援システムがあります。そういうツールはすべて革新的なものですし、どんどんその数は増えています。

第三の理由としては、デジタル業界の会社が増えすぎたいま、バイオテックでいろいろなイノベーションが起きているのを見て、次のビジネスチャンスがある未開の地はここだ、と考える人が増えたことでしょう。まだ競争は激しくなく、より大きな領域なのにまだ混み合っていない。

そして四番目には資金調達が容易になっていることが挙げられます。現在のような高齢化社会では、健康やバイオにもっと資金を投入したい雰囲気が業界にあふれており、そのために投資したい人が増えて、利用できる資金が豊富に存在するのです。

われわれは「新生物学的な時代」を生きることになる

第2章で「これからは新生物学的な時代が来る」と述べましたが、まさにそういった話が現実に進んでいるわけです。われわれが**生物学的な運命を制御できる時代**が来て、自分たちを変容させるということです。

先ほどお話ししたように、すでに食べ物について、畜産分野では変化が起こりつつあります。バイオテクノロジーは今後もっと流行し、きっと現在コンピューターで誰でもプログラミングができる程度に、ユーチューブでやり方を学んだり、誰でもバイオを手がけたりするツールができるようになると思います。そういう時代になれば、われわれが生物学的に自分自身を変えられるようになるでしょう。人間自体を変えて子孫の世代をも変えるんです。例えば、病気をなくすために遺伝子治療をするような話です。

遺伝子編集技術であるクリスパー・キャスナイン（CRISPR-Cas9）は二〇一二年にできたばかりですが、今後百年の間にはもっといろいろなものが出てきますよ。

ただ、その時代には自分のなりたいものになれるかというと、私は懐疑的です。バイオがすべてこなせるわけではなく、他のテクノロジーも必要です。それにまず何になりたいか、ということが問題になりますね。それを社会が認めたとしても、受け入れたくない、というような話もあるでしょう。良かれと思っても子どもに手を加えるのはどうか、という論議も出てくるでしょう。いずれ、現在の妊娠中絶問題などよりも難しい問題がいろいろ出てきてもめることになると思います。

デザイナーベビーもそうですし、それだけの話でとどまらず、すべての他の問題がのしかかってきます。先ほど人工肉の話をしましたが、それも同じことです。例えば、動物を勝手に変異させてもいいのか、豚と牛をかけあわせた肉を作るべきか、その中間的なものを作ってもいいのか……という問題が出てきます。仮に足のない鶏を作って、ずっと座らせておくとどうなるか。つまり、これから対処すべき方法がわからない問題が今後百年間に増えていくでしょう。

農場はＡＩとロボットが活躍する場になる

農業とテクノロジーを結びつけた、**アグリテック**についても少しお話ししましょう。普通は古代からある農業という分野に、テクノロジーが大きな影響を与えるとは思えません。しかし、私は農業に一番影響を与えるのはＡＩとロボットになると思っています。

最近発明されたのは、「**精密農業**」と呼ばれるものです。例えばトラクターにＡＩを搭載して、長い腕を付けてレタスやコーンのような作物の畝《うね》を移動させ、それぞれの畝にカメラを付け、二十五ぐらいの畝の作物の様子を同時に監視できるのです。それにはＧＰＳが付いていて、位置が計測できます。カメラはそれぞれの植物の姿を捉え、それぞれの健康状態を評価して、正確な必要量の水や肥料、殺虫剤を与えることができます。植物を個別に扱うことによって、水や肥料の量を減らして全体の無駄を省きます。農家は昔からそのようなことを行ないたかったのですが、いままでは技術的にできなかったのです。

何百万もの作物が個別に最適な扱いを受けるのです。それこそＡＩやロボットが、古代からある農業へ応用できる好例です。個々の作物を個別に扱うことで、それらにかかる肥料や資源の量を減らして全体の健康状態を向上させ、農業のやり方を変容させ、非常に目覚ましい効果を生みます。こうした例はすでに現実にあるものなんです。

また、作物の収穫作業を行なうには、ロボットが向いていますね。イチゴを摘む作業など、人間にとっては大変な重労働ですから、そうした作業を大規模に行なうにはロボットを使った方がいいのです。人間が乗っていないトラクターもすでにあり、GPSを使って自動運転で作業をしています。将来は**大きな農園でロボットが一日中、収穫や種まきなどの作業をこなす**ようになるでしょう。

その結果、食料全般が安くなり続けるでしょうね。ここでちょっと、アーミッシュのことを思い出しましたが、彼らは主にドイツ系の移民で、前近代的な生活スタイルを尊重するキリスト教の一派です（二〇一九年時点での人口は約三十四万人と言われる）。テクノロジーを非常にゆっくりと取り入れる人たちなんですが、搾乳機は使っています。そこで、もしロボット搾乳機があれば使うかどうか尋ねてみたところ、使うと言っていました。それは、その機械が彼らの生活を楽にして、家族と過ごす時間をもっと取れるようになるという意味で「いいテクノロジー」だからなんです。しかし世の中では、効率とか生産性ばかり求めますよね。でも、実は彼らのような考え方こそ、テクノロジーが存在する本当の理由なんです。これについては、後でもう少し詳しく述べましょう。

移動の未来

自動運転車が主流になるのは二〇四〇年以降

シリコンバレーは将来、自動運転などで交通の未来の最前線に立つでしょう。ただし、運転手が乗っていない完全な自動運転車ができるのには、最低十年はかかるでしょうね。思ったより時間がかかり、段階的に進んでいくと思います。まずは高速道路などの専用レーンがあるところで、長距離輸送用トラックで自動運転の利用が始まるでしょう。そして次に駐車場で自動的に駐車する機能が利用されるようになる。そして街中でも、特に自動運転用に指定されたレーンができるという順でしょうか。

しかし、それまでにやるべきことがいくつもあります。人間が乗っている車から無人へという変更だけではなく、全体のインフラも変えないといけないのです。道路標識や信号機も変え、自動運転車用のインフラを構築しなければなりません。これまで人間用に非常に手の込んだインフラを作ってきたのですが、それは自動運転車用には使えないのです。

最初は特に、両者を混在させなくてはなりません。人間は排除して自動運転だけにするより、二種類の方式を混在させる方が難しいことになります。そして車を変更するばかりか、すべての標識や習慣、歩行者の対応が変わるまでには何十年もかかるでしょう。

人間とロボットの二種類の運転者が混在すると、ロボットは控えめで人間はやりすぎ、両者が優位性を競い合います。ですから車に自動運転させるだけではなく、それを超えた問題をいろいろ解決していかなくてはなりません。例えば、運転マナーの悪いボストンのような街では、**自動運転の車が大勢を占めるまでには二十五年はかかる**でしょう。

最大の障壁は、二種類の運転者（自動運転車と人間のドライバー）を混在させるということです。そうなったときに、99％の安全性では満足せずに、99・999％といくつも9が並んでいる精度が要求されるようになります。その最後のわずかな部分を克服するのが一番難しいのです。98％達成などというのは簡単ですが、残りの2％というのが大変なんです。道路の整備や裏路地などの、最後の部分が難しいのです。

それに自動運転車が詰まってしまったら、そこから動くこともできなくなり、それに備えないといけないでしょう。渋滞してしまっているのに、車自体がどうしていいのか決められないような状況になったら、すぐにあなたも怒り出しますよね。そんな例外的なちょっとした不具合でさえ人間には耐えられないのです。完全さのレベルをそこから上げるには非常に時間がかかるというところが問題ですね。

スマートシティは実現するか

ドバイではスマートシティ計画が進行しており、それは自動運転や全電化などを取り入れたわかりやすいものです。そうした方向への流れは不可避ですね。後はそれをどう実行するか、いかにうまく運用するかが問題になります。

余談ですが、最近はスマートホーム、スマートシティ、スマートウォッチなどと、いろんなものに「スマート」と付けるようになりましたが、私は代わりにハッカブル（利用者が操作できる：hackable）という言葉を使うのはどうかと考えています。

「スマート○○」という言葉はすべて「ハッカブル○○」に置き換えることが可能なんです。ハッカブルシティーと言い換えてみると、現在行なわれている監視カメラやハッキングに対して疑問が湧いてきます。そうしたものには社会的コストがかかり、それで普及にブレーキがかかるでしょう。

スマートシティは理屈の上ではすばらしいものに思えますが、気がつくとそれは監視された都市で、車をはじめとしてすべてのものが追跡されているのです。そんな都市は好きにはなれませんよね。街を歩くとずっとすべての監視カメラで追跡されているんですよ。

十年ほど前だったら、それは大した問題ではなかったかもしれませんが、いまではそれは不要という意見が大半でしょう。確かにテクノロジーとしては可能だが、常に追跡されるという代償を払うことになるのです。

ちなみに、私の言っているミラーワールドも、ARを使って追跡することが可能な世界ですね。それこそバーチャルなスマートシティそのものです。これが良いものであると人々を納得させられるかが問題となります。人々が問題視するのは、自分たちのデータは市や政府やグーグルのどこが保管するのかということです。

アメリカ人は、政府より企業の方を信用する傾向があります。**今後は、社会インフラや社会倫理・習慣に関する問題の方が、技術的な実行可能性よりも重大になっていく**のです。スマートホームも同様です。人々は、自分の行動が監視されていることを嫌がるでしょう。最近では、アマゾンのアレクサ（スマートスピーカー）が、いつでも家の中の音を聞いている、と反発を受けています。

そうなると、データや情報を共有したり追跡されたりすることの問題を、皆でじっくり話し合わなくてはなりません。しかしいまの状態では結論は出ないでしょう。唯一言えるのは、こうした話に対して、テクノロジーの問題だけならもっと早く解決はするが、利益を得ても不利益が生じないよう社会的な問題に対処することで時間がかかってしまうということです。

中にはこうした監視カメラは全部撤去すべきだ、スマートハウスやスマートシティなんて要らない、と言う人も出て来るでしょう。しかし実際はそうはならず、もっとカメラは増え、もっと追跡が行なわれます。そうした問題は、より良いテクノロジーで解決するしかないのです。

それにまたグーグルは、「連合ラーニング」とか「微分プライバシー」というシステムを持っています。それはスマートフォンやスマートグラスなどの個別の装置で集められた人々のデータそのものではなく、集めた結果だけをＡＩで使うという方法です。

端末側でＡＩ的な処理をして、その結果だけを集め、個人データに関する心配を払拭するのに役立つテクノロジーです。それが私の考える、スマートシティやスマートホームなどのスマート世界に関する問題に対して、後戻りしたり止めたりしないで、より良いテクノロジーで解決していく例です。

スマートカンパニーという実験

他には、グーグルのような大きな敷地を持つ会社で、スマートシティのような取り組みをすることもできるでしょう。広い場所にいくつもビルが建っており、従業員を合法的にモニターできます。私としてはそういう展開の方に可能性があると思っています。

従業員は自分がモニターされていることを知っており、会社は従業員がどういう時間の使い方をして、どこに行っているかを合法的に監視できます。しかし、もちろん従業員がそうした手法を認めていなくてはなりませんし、彼らがそれでも満足して快適に仕事ができなくてはなりません。

多くの従業員にとっては、まだカメラが四六時中彼らを見て評価しているのは気分のいいものではないでしょうね。効率や生産性を上げるために人々をモニターすることは理にかなっていますが、それを従業員に対してやるのはどうかということです。

ですから、雇い主が正当な理由を持っていないと実現できないわけで、こういう試みはいい試金石になるかもしれないですね。慎重にことを進めないと、従業員はそれが嫌になったら会社を辞めてしまいますからね。

私自身も、元『ＷＩＲＥＤ』の編集者で友人のゲイリー・ウルフとともに設立したコミュニティー「Quantified Self」やグーグルなどが実施した、プログラマーなどが効率よく働くための調査のモニター実験に関わったことがあります。しかし実際、従業員はそういった試みにはあまり熱心ではなく、モニターは減らされる傾向にありました。スマートシティも実現するとは思いますが、住民や社会に協力してもらうのに少々時間がかかるでしょう。

スマートシティ実現のためには、いろいろな新しい法律を策定しなければなりません。現在アメリカでは、カメラが人の顔を認識する顔認識テクノロジーについて問題が起きています。

以前中国に行ったとき、多くの会社ではセキュリティーのための社員証を着けていませんでした。社員証をやめて、顔認識で代行するようになったんです。野生動物公園でも、入場する際に、チケットを使わず客の顔をスキャンしていました。**中国では顔認識がパスや社員証の代わりになっている**んですね。

しかしアメリカでは顔認識に抵抗があって、フェイスブックなどが作った顔認識ソフトが警察などで用いられていると非難されています。これも、テクノロジーの性能と人々の反応はまた別という事例です。

こういう機能を人々が受け入れるまでには時間がかかりますね。それによる利益があるなら受け入れるでしょうが、それまで多くの話し合いが必要になるでしょう。そして法律としては、どういう情報が利用可能でどれが不可かを明確にしなくてはならず、それには時間がかかるので、法律の話は最後にした方がいいでしょう。

中国では犯罪者の逮捕のためにこうした技術を使っていますし、それは利点と言えます。危険を回避するためである、と妥協することも必要ですね。それは社会規模の会話のようなものです。法律ができても人々が勝手にやっていては機能しませんからね。ですから今後十年はずっと同じような話をしているのではないでしょうか。

空飛ぶモビリティが作る未来

私の義理の息子は空飛ぶ車の最初のプロトタイプを作っています。キャビンの周りに、プロペラが八つ付き、角度を変えて垂直方向にも回転し、飛行機ほど効率的ではありませんが飛ぶことができます。実際の姿は基本的には車にプロペラが付いたドローンのようなもので、離陸した後に滑空するための小さな翼も付いています。彼の会社ではもう**「フライングカー（空飛ぶ車）」**として販売しているようです。

しかし、フライングカーはまだ飛行距離や使える地域が限られています。規制があり、どこででも飛べるというわけではないので、最初の購入者は、牧場のような広大な私有地の中で移動するために使っています。おまけに非常に高価で、まだ数も限られています。携帯電話も最初はそういった具合でしたよね。最初のモデルは非常に大きくて高価でした。しかし毎年値段が下がり、いまでは誰でも買えるようになりました。

空飛ぶ車が空を埋め尽くす時代を想像する人もいますが、そうはならないでしょう。一つの問題は騒音です。近所の家は迷惑ですよね。おまけに離着陸時には地上を滑走しますから、かなり危険で安全性が問われます。ですから、**最初は通勤などではなくごく限られた用途にしか使われず、その状態が三十年近く続く**でしょう。

また、もう一つの問題は飛行の高度の低さでしょう。フライングカーは技術的にはいくらでも高く飛べますが、ある高度以上ではＦＡＡ（連邦航空局）の規制を受けます。航空路との兼ね合いから、それほど高くは飛べないのです。かなり騒音が出るから、周囲に住む住人はあまり低い高度で飛ばないでほしいはずです。

そこで考えられるのは特別な利用法です。緊急搬送用のヘリコプターとしてとか、特別の高速貨物運送のために、発着場を別に作って使われる。最初から一般道路に着陸はできないので、最初発着は指定された特別な場所になるでしょう。ですから使われるのは大きな牧場や施設や工場に限られます。

そうなるとしばらくは企業や公共的な利用が主となり、個人では大金持ち以外の利用はないでしょう。多くの開発者はタクシーとしての利用を考えています。近くの指定された場所から乗って、特別に指定されたルートで都市まで行く。自分で運転するのではなく、たぶん自動運転でということになるでしょう。自分で所有するというより、基本的には借りるものになると思います。

ドローン利用はますます進む

一方、小型のドローンはもうすでに飛んでいますね。アマゾンは配達用に使う予定だと言っています。こうした使い方が一般的になるかはわかりませんが、必ず使われるようにはなります。

ルワンダでは、**ドローンが薬の配達に使われています。**道路がなかったり道が整備されていなかったりする場所があり、医療品や価値のあるものを迅速に確実に届けるために効果的だそうです。われわれの国の道路は整備されているので、日常的な利用という必要はないかもしれませんが、こういう使い方はできるわけです。

もう一つ話しておきたいのは、あと二十五年か三十年ほどで、商用の航空機も自動運転化されるのではないかということです。パイロットが乗っていない旅客機ということで、ある意味ドローンの拡張系と考えていいでしょう。そして最初は荷物便に使われ、定期的に大型のパイロットのいない旅客便が運航されるでしょう。

小型ドローンを旅客便に使うことはいずれ実現すると思います。なぜなら旅客便の一番のコストはパイロットなどの人件費ですから。ＡＩを使って飛行するわけですが、すでにそれは航空機に実装されています。人間のパイロットは緊急時に備えて乗っているだけです。離着陸はすでにＡＩで行なわれており、人間の乗務員なしの飛行に大きな障害はありません。

そうなると、パイロットや自動運転のトラック運転手は不要という話になっていくでしょうが、超長距離の運輸トラックでは、自動運転車であっても、人間が乗っていると思います。

例えば、ボストンのような混雑した都市に入るときなどに人間の運転が必要かもしれません。乗っている人は空調の効いた快適な室内にいて、運転が必要なとき以外はプログラミングなど別の仕事をしていることができます。**ある種の兼用仕事**で、運転はしていないが他の仕事をしていて、緊急用の医師のように呼ばれたら働くという方法です。

ですから、タクシーの乗務員が普段は別の仕事をしているとか、パイロットが通常は飛行以外の別の仕事をしていて、必要なときにだけ操縦するという移行期間があると思います。

毎日車で一時間移動する際に、運転しないならその間何をするかということを考えなければなりませんね。ゴーグルをかけて別の世界で遊ぶとか、スマートグラスをかければ画面が全部見えるとか、VRやARを活用して車内でできることもあるでしょう。

私の予想では、**家にいるときより車の中の方がもっと高速の通信環境が整う**と思います。外にいるときは5Gの環境があり、ロボットが運転している最中に広い帯域を使ったりするわけですから。

お金の未来

個人が銀行と同じことをできるようになる

次に、フィンテックについてお話ししましょう。お金を貯めておく物理的な場所の必要性はどんどんなくなっており、オンライン銀行が増えています。そして従来から銀行が行なってきた、**貸付、預貯金、両替、抵当といった業務は分割されていきます**。

新しいオンライン銀行は、こうした業務のうち一つしか行なっていません。すべての業務をこなすのではなく、預貯金だけとか小切手だけとか、それだけしか扱わないのです。そしてこうしたサービスは、どんどん店舗に行かなくても受けられるようになります。

ですから銀行という物理的なものの仕組みは、アマゾンのような存在になっていきます。アマゾンは多くの人にとっては、オンラインの仮想的な店ですが、そういう傾向は今後も続き、**銀行の機能の仮想化**が進んでいくでしょう。

窓口業務はもう要りません。物理的なお金を扱うのは無駄です。中国やスウェーデンなどに行くと、ほとんど現金は扱っていません。ともかく支払いのために列で待っている時間がイライラしますし、現金を扱うことはなるべく早くやめた方がいいと思います。

アマゾン・ショップ（アマゾンのリアル店舗）では、商品をただ選んで店外へ持って出れば支払いが自動的に済むというシステムになっているので、そうした方式がいいのではないかと思います。顔認識などを使って、私の口座から引き落としてもらえばいいのです。現在のクレジットカードは番号が知られて悪用される場合もありますが、これからのサービスは、どれもそれよりはましなものになるはずです。

しかしお金は支払いだけではなく、利息が生じたり、貸し付けたり、投資したり、通貨として交換するなど、いろいろな機能があります。それにビットコインのような暗号資産もありますよね。われわれはお金を操り、お金がお金を生むような、派生的な利用法を開発してきましたが、それを他の方法で代替し始めたばかりです。

貸付などが容易にできるようになって、中国では利用者同士（ピアツーピア）でお金を借りられるサービスが試みられていますが、残念ながら腐敗や管理不行き届きで破綻《はたん》しています。しかし、お金を持っていたら他人に直接貸して自分でリスク評価ができるようになれば、**ピアツーピアの金融システム**には可能性は十分あります。

ウィキペディアはピアツーピア方式の百科事典として当初は不可能に見えましたが、結果的には成功しています。ですから、金融においてももっとこうしたシステムを作ることはできるはずです。このシステムの問題点は、不正直な人がいると腐敗してしまう点ですが、ブロックチェーンのようなテクノロジーを使った方式で、安全性や信頼性を確保するようにすればいいんです。

もし私があなたに百ドル貸したら、あなたの口座に利息のアイコンを移動して率を決め、後は条件付き捺印証明などに委託すればいいんです。それは実際に銀行から貸し付けるのと同じ効力を持ちます。フィンテックは将来実現する可能性のまだ初期段階にありますが、分散化の流れが進むと、個人が望めば銀行と同じようなことができるようになるでしょう。

実名での取引しか不可能な、「国家による暗号通貨」ができる

ブロックチェーンはもともと通貨とは無関係な数学の話で、分散化した帳簿や口座をきちんと運用するためのものです。昔の取引では元帳簿があって、それにすべての取引を記録し

て、中央にそれを誠実に管理する信頼できる人がいるという方式でした。もしその元帳簿が分散していて皆が勝手に使っていたら、どうやってその信頼性を担保するかという話です。

ブロックチェーンはこうした分散化した元帳簿を管理するための発明です。皆で元帳簿を共有して、それにいつでもどこでも追記することができ、それを直前の取引と数学的につなぐんです。直前の入力を皆が承認すれば、その次の入力がそれに継ぎ足されます。その結果は新しいチェーンに組み込まれ、それ以前のすべての取引を騙さない限り嘘をつくのは不可能になります。新しい取引のブロックはそれ以前の他のものと組み合わさってチェーンとなる。それがブロックチェーンなのです。

ブロックチェーンはすごい発明だと思いますが、それは配管みたいなものなんです。必要なテクノロジーですが目立たず、トイレは生活を便利にするのに欠かせないがその配管自体は地味なのと同じです。ほとんどのブロックチェーンは見えないものになり、背景に隠れてしまいます。それはオフィスで使われる表計算ソフトのようなもので、仕事には大切なものですが、一度使い方がわかったらもうその存在を気にしません。ブロックチェーンも同じような存在で、取引などにとって非常に大切なものですが、後ろにいて世界を変えるのを手伝っているだけです。

現在のところ、唯一ブロックチェーンを実用化した大規模な応用は、ビットコインや暗号資産です。しかしビットコインには問題もあり、最良の応用例とは言えません。

最近は、それ以外のものがいくつも出てきました。有名なのは、分散化したウェブやネットワーク、ミラーワールドのようなものを作り、こうした世界にデジタルの部屋や家を作ったら、それが信用できるかを保証するものです。**ブロックチェーンを使ってそれがフェイクでないと保証する**わけです。

また最近は、無線ネットワークで帯域を保証するためにブロックチェーンを使う例があります。ある地理的な地域をカバーしていればポイントをもらえます。そしてブロックチェーンを使って、その地域でＷｉ-Ｆｉや無線ネットワークを使う場合の帯域確保や支払いを行ないます。それもまた、分散化した信用を担保する応用になりますね。

ですから通貨への応用というのはそれのうちの一つに過ぎません。さらに、暗号通貨はいままでのところ、現行の通貨ほど有用であるとは思われていません。投機の対象になっていますし、限定的で希少性が高いし、コインをマイニングする（取引情報などを追記する）という作業に非常にお金もかかりますからね。それはデジタルの金のようなもので、通貨というよりも投機の対象なんです。

理論上は通貨が不安定な世界で非常に有用なはずの暗号資産ですが、まだ実世界でその効用は証明されていません。ですからその可能性については将来に委ねるしかありません。

暗号資産は当初、どんな取引も匿名で行なえるということに関心が集まりましたが、実際はそうではありませんでした。元帳簿が公のものになっていて、どの取引も丸見えになってしまうのです。それにリバースエンジニアリングで解読して追跡できてしまいます。口座が追跡でき、各口座の売り買いを見ることができ、各人の本名を公開要求することもできます。

こうしたことから、中国のような国では独自の暗号通貨を作って全員に使わせるでしょうね（二〇二一年現在、中国では国家発行のデジタル通貨「デジタル人民元」の運用実験を進めており、南米でもブラジルやエルサルバドルでの採用が報じられている）。こうした**国家による暗号通貨は、国民全員が実名で使うよう義務付けられる**でしょう。こうしたお金しか使えない時代には、すべての取引が透明化される金融環境が実現し、まるで違う世界になるでしょう。

現在のビットコインが使っている、外からはアクセスできないダークウェブ方式である必要はなく、完全に公的な暗号資産も作れます。誰もが自分の名前を明らかにしなければ買うことができないのです。すべての取引が実名で行なわれ記録されるようになるのでしょう。

そうなれば、暗号通貨は犯罪者の不正な使い方をするものと、完璧に監視できるものに分かれると思います。

デジタル化された証券であるセキュリティトークンなどを使い、不動産の共同保有をするなど、ブロックチェーンを用いて何でも商品化しようという動きもあります。しかし逆に、売り買いできないものは何かと考えてしまいますね。私としては、これまで商品化されなかったものに興味を持ちます。例えば睡眠はどうでしょう。睡眠を売り買いする方法ってあるのでしょうか？

大事なのはいつでも選択肢があるということです。すべてのものが商品化されても、そうしたやり方にそぐわないものも必ずあります。本も商品化され売り買いされてきましたが、図書館のように無料で読める場所もあるので、そうした選択肢がいつもあるのが良いことなんです。

例えば、**私の本棚を商品化する**ということもできるかもしれませんね。先日若い学生が私の元へやって来て、自分の人生を商品化するという話をしていました。証書を販売して自分の将来の収入を売るのです。いま十万ドルとか百万ドルを投資してくれたら、一生涯X％払いますという話です。それはなかなか面白いアイデアで、どれだけ稼げるかにかかっていますが、もしこの学生が将来のビル・ゲイツだったらすごい話になりますね。

NFTが変える「モノの価値」

二〇二一年一二月、ツイッター創業者のジャック・ドーシーが、自分の「初ツイート」を三百万ドル（約三億三千万円）で売りました。

このツイートはNFTを使ってオークションにかけられたのですが、NFTはNon-Fungible Token（非代替性トークン）という言葉を略したもので、ブロックチェーンのテクノロジーを使い、**デジタルの署名**として使うことができます。デジタルで作られた作品は、いくらでもコピーが可能で希少性が出ません。しかしデジタル署名が付いていれば、それが希少なものだと主張できます。

しかしNFTの問題は、それが今後継続的に値上がりするものを持っている人にしか魅力的に見えないことです。そこで私がいつもアーティストなどに尋ねているのは、値が上がるのではなく下がるとしてもNFTに興味を持つかということです。

というのもこの小さな世界では、ほとんどのものは転売すると値が下がってしまうのです。ｉＰｈｏｎｅを代えたり、車を買い替えたり、音楽アルバムや自分の本を売ったって、98％のものは元値より安くなってしまいます。でもわれわれはｉＰｈｏｎｅの値段が下がるとわかっていても買い換えます。そうなってもＮＦＴを使う価値はあるでしょうか。多くの人にとって、ＮＦＴの場合は値上がりが期待できるものが対象です。

　ですから、ＮＦＴの対象になるものは非常に価値が高く、たとえそれが長期的に値下がりしてもいいものに限られています。そのため、まだ本格的な利用には至っていません。

　しかし、アーティストの作品が転売されたり他の作品と一緒に評価されたりしたときに、ＮＦＴを作品の追跡や評価のために使うことはできます。

　例えば二十人が共同プロジェクトで何かを作っていたとして、彼らが会社に属していない場合でも、きちんと各人に公平に売り上げを分配するためにＮＦＴなどのテクノロジーを使うということができるでしょう。時間が経てば、大儲けはできないにせよ、人々がいろいろな利用法を考え出すでしょう。

エネルギーの未来

電気への転換が脱炭素のカギ

地球温暖化や持続可能テクノロジー、エネルギー問題を研究する人に、現在のアメリカのエネルギー消費について聞いたことがあります。彼はアメリカ政府で国全体のエネルギーのシステムや消費について監査をしています。脱炭素排出、つまりガスや石炭などの資源を使わず、風力、太陽光、原子力などで発電し、自動車や暖房器具、ヒートポンプ、電気モーターやドローンなどに変換していく話をしてくれました。そうしてすべてを電気エネルギーに変換すると、いまと同じくらいエネルギーを使っても、実際の消費は現在の半分で済むということを発見したのです。

例えば、石油を運ぶために、運搬船やパイプラインにどれぐらいのエネルギーが必要かを考えると、エネルギー源を動かすために大変なエネルギーが必要なのです。しかし電気になればそういう手間は要らず、ずっと安く効率的にエネルギーを動かせるようになります。

車の電気モーターはガソリンエンジンより、ヒートポンプも暖炉よりずっと効率的ですし、そういうものに切り替えて電気を基礎とした経済に移行すれば、**生活様式を変えずにエネルギー消費量を半分にできる**のです。

また、私の活動仲間でソール・グリフィスという人がいて、『Electrify』（電気の衝撃：未邦訳）という本を書きました。本書には私も推薦文を寄せています。その本の主張は、すべてを電化することで地球温暖化を制御できるというものです。エネルギーや暖房に石油を使ってはならず、すべて電化しなくてはならないという話です。彼も、太陽や風、水力や原子力で電気を起こし、家の冷暖房から飛行機を含むすべての乗り物、文明を成り立たせるすべてのものを電化することを提案しています。そしてそうするだけで、環境問題の半分は解決すると言うのです。

例えば、私はいま、娘のために近所に家を建てていますが、その地域では年中暖房の必要があり、天然ガスを使っています。これをヒートポンプにするつもりです。ヒートポンプは主に冷蔵庫で使われているもので、熱を移動させて双方向で冷やしたり温めたりできて冷暖房に使えるものです。それには燃料を燃やす必要はなく、冷蔵庫で使っているような電気モーターやコイルで熱の移動をするだけです。

現在はあまり普及してはいませんが、非常に効率の良いもので、当分は少々割高かもしれません。しかし燃料を使わないので二酸化炭素は出ません。家では太陽光発電をしているので、ほとんどの電力をそれでまかない、さらにヒートポンプを使うことで、グリーン・エネルギーとしての解決法になっていると思います。

今後五年で、電気自動車は爆発的に普及する

電気自動車は非常に優れた車なので、普及は非常に早く、現行のガソリン車を代替していくと思います。現在は少ない給電ステーションについてもどんどん普及していくでしょう。**五年以内に新車はほとんど電気自動車になる**と思います。

フォードは通常車よりトラックの販売台数が多く、有名なT型に相当するピックアップトラックF－150は最も普及しているモデルですが、つい先日、このモデルの電気自動車を販売すると発表しました。

こうした車が増えるとガソリンスタンドに行く人はいなくなるでしょうね。普通はガソリ

ンで何百ドルも払っていますから、かなり大きな話です。良い電気自動車が普及することで、給電ステーションや家庭の電気供給を含めた全部のシステムが変わっていくことと思います。

私自身、小さな電気自動車を持っていますが、これまでに使ったうちで最高の車で、効率も良く、加速や運転性能なども申し分ありません。この安い自動車のおかげで、ここ三年間ガソリンスタンドのお世話になっていません。

ですから脱二酸化炭素化は急激に進むと思います。問題は石油の価格がまだ下がり続けていることですが、太陽光・風力・原子力発電もまだ発展途上のテクノロジーですから、これらが良くなれば環境問題の真の解決手段になるでしょう。

教育の未来

AR・VR技術が教育を激変させる

ユーチューブのような動画メディアは、いろいろな動きを動画として伝えられるので教育に向いていると思います。しかしそれはまだ最初の段階で、ARグラスなどのスマートグラスが普及すれば、実際の教室で教えるような使い方ができ、ずっと良くなるでしょう。

また、**動画とARやVRを組み合わせることで、非常に強力な学習用のメディアができる**でしょう。何かを学びたければ、誰かの隣に座って彼らの手の動きを追っていけばいい。化学を勉強したければ、自分で分子の模型を作ってその中を歩き回ってつかんで回転させることもできます。それに、実験を目の前で行なうこともできますね。これこそ学習のための最強のメディアでしょう。皆がスマートグラスを持てるようになれば、ユーチューブのように自分でコンテンツを作って、自分の知っていることや学んだことを皆とシェアして、オンラインの学習コースが作れます。そうすると学習意欲も高まり、誰もが学びたくなります。グーグルのピーター・ノーヴィグ、スタンフォード大学のセバスチャン・スランなどの有名な研究者が教えたオンラインのＡＩ講座では、世界中から十万人規模の受講希望者が集まって、それこそ大注目の講座になりました。それに自動翻訳の機能を使えば、英語の授業でもどんな言語を話す人でも参加できるようになり、それと一緒にＡＲやＶＲを使えば、その世界の中に入って実際の経験もでき、非常に強力な教育ツールとなります。普通の大学教育で使ってもかまわないでしょう。

アメリカでは、すでに**人種差別を軽減するためにＡＲが使われています。**ＡＲで外見を変え、あなたが黒人になって私が日本人になるなどと、まったく自分の素性を変えてしまうんです。そういう状態で他者がどう反応するかを体験すると、理屈ではなくてお互いの見方を感じることができます。

そういう機能を多くの会社が研修に使っています。会社の社員教育まで含めれば、教育市場はとてつもなく大きなものになります。会社がマイクロソフトのスマートグラス「ホロレンズ２」を購入して使えば大きな影響を与えるでしょうね。特にアメリカでは会社の研修は大きな課題です。私の妻が以前勤めていた企業では、研修が毎週最低四時間はあるんです。

その内容は、性差別防止や安全・法令順守など多岐にわたります。VRやホロレンズの利用は、ただ見ているだけではなく体験ができるので、研修を加速させ、より良く、迅速で効率的にしてくれます。

リアルな大学はなくならない

オンラインでの教育に大きな可能性があるとはいえ、若者が学びながらともに時間を過ごし、視野を広げることには社会的な意味があります。スマートグラスを使って授業を受けるにしても、実際のキャンパスで仲間と会うことも必要です。ですから大学が増えることがなかったとしても、なくなるということはないでしょう。世界中のほとんどの人はオンライン授業を取るでしょうが、大学に来てもオンラインを使うし、他の人と実際に会って論議することで、学習がどんどん強化されます。

大学ばかりか高校でも、**学習は、とあるプロジェクトを立てて学生同士がその課題を一緒に学ぶという形式になる**でしょう。現在でも人気がある、ロボットのプロジェクトでは、毎年学生がロボットを作って、互いに競争させています。「ピンポンのボールをバスケットに入れる」など、毎年の目標を設定し、他の学校の学生と競争するのです。

実際に皆で何かを作って学習するのは、物理やコンピューター科学やデザインの分野になるでしょう。学生が全員で集まってプロジェクトを手がけるのです。こうした学習法の効果は高いことが認められています。もし自分で実際にモーターを組み立ててみれば、どれだけ大変かがわかるし、こうした仕組みの原理や使われる方程式についても学びたくなるでしょう。いろいろやる気になるんですね。

まとめると、未来の教育の変化としては三つほどあります。まずは利用者が作るコンテンツ。ユーチューブなどの動画メディアを使い、その問題を自ら学んだ人から学ぶということです。次にARやVRを使った学習です。仮想世界に没入しながら空間的な要素を加味して運動感覚を働かせて、読書とは異なる脳の部分を活性化します。脳の深層に働きかけて経験ができるという意味で、より強力な学習法なのです。第三に、プロジェクト方式の学習です。グループで何かを作るという方式で、こちらも非常に優れた学習法です。それは大学のキャンパスに行って行なうこともできるし、仮想世界ででもできるということです。

自動翻訳が変える世界

ＡＩによる自動翻訳が同時通訳レベルにまでなったら、どんなことが起きるでしょうか。まず、ビジネスや旅行が大きく変わるでしょう。あなたが英語を勉強したり会話を習ったりせずに、耳にイヤフォンを付けたままでアメリカ旅行ができ、会話も完璧にできたら革命的な話だと思いませんか？　誰もが気軽にもっと多くのことに挑戦できるようになります。またロシアなどの違う言葉を使う国に行って、日本語でしゃべって完全に話が通じるようになったら、これもすごいし楽しいでしょうね。

どこででも即時に使える翻訳装置があれば、もっと旅行者が世界中にあふれるようになるでしょう。それは世界にとっても良いことです。自分の文化から外に出て他の文化に触れるほどすばらしいことはないですから。

私は政府が若い人の旅行を推奨するために資金援助をしたり支援会社を作ったりするべきだと思うし、**二年間旅行することを国民の義務にしてもいい**ぐらいの話だと思います。性別や障害のあるなしを問わず、誰もが高校卒業後、十八歳からの二年間をこうした活動に費やすのです。その期間に兵役に行ってもいいし、医療支援に従事してもいいし、教育活動をしてもいいし、平和活動の一環として海外で支援活動をしてもいい。こうしたことに政府がお金を出すのです。アメリカにとってこれほどいいことはないし、いろいろな海外の人々と交わって、新しい価値観に目覚めるのです。

　ともかく、何歳になっても旅行することはすばらしいことなので、音声通訳装置があれば非常に好都合です。まずは民族を超えて交流が進むこと。次に、新しい世界的な職場が開拓され、例えば**英語が上手でないインドネシアの優れたプログラマーがいろいろなところで働ける**というようなチャンスが生まれます。いろいろな国の人が耳に自動翻訳機を付けるだけで、流暢《りゅうちょう》に日本語で会話できるようになったら、日本の会社にも就職して上手くやっていけますよ。

　自動翻訳のおかげで突然世界から優秀な人が集まって来たら、世界の経済にとっては大助かりです。シリコンバレーでは人材不足で、私の娘が働くサンフランシスコの会社では、良い人を斡旋した社員に一万ドル（約百十万円）のボーナスを出しているぐらいです。

　どの会社も他社と張り合っている状態なので、社員採用が非常に難しくなっているのです。プログラマーや会計士、ある種の法律に詳しかったり知的財産の弁護士だったりしたら、すぐに求人が来ます。世界中を回ってみれば、英語を完全にしゃべれなくてもリモートで十分仕事はできますし、それはすごくいい話ですね。

自動翻訳のデバイスを持って行き、そこで人と話をすることができる、あるいはVRで実際に経験することができるというのは、人がお互いに協力し、支え合うという気持ちをより強めるものだと思います。

文明というのはそのように進歩してきました。人類は初めから、人同士のつながりや協力関係を築きながら発展してきたのです。狩猟社会の時代に集落を作り、さらにそれを発展させて農耕社会になり、そして都市ができた。科学などの学問も、そういう協力とか協働をベースに進んできたわけです。新しいテクノロジーはそういった意味で、人同士の共感を強めるものだと思いますし、コミュニケーションもより進んでいくと思います。そして、人間はそうした経験を通して、より良い人間になっていけるのです。

第4章

アジアの世紀とテック地政学

アジアの世紀が到来する

中国とインドが世界の趨勢を左右する二大プレイヤーになる

第2章で、この時代を「AIの時代」「没入型コンピューティングの時代」「新生物学的な時代」と述べましたが、加えてこれからの時代は**「アジアの世紀」**と呼ぶべきかもしれません。

長らく相対的に貧しかったアジアの人々が中産階級化して成熟した期間が確かにあり、彼らの多くが非常に裕福になっています。最初に訪れたときは草ぶきの小屋に住んでいた人が、次に行ったときには大きなコンドミニアムに住んでいる、という姿を私もよく目撃しています。

私はずっとアジアを旅し、見聞きしてきたので、非常に楽観的な見方をしています。最初にアジアに行ったのは香港と台湾で、一九七二年のことでした。そして同じ年に日本や韓国にも行きました。そこで実際に人々がゼロから立ち上がって世界一の富豪になっていく姿を見ています。また中国やインドには、昔もいまも定期的に訪れて多くの時間を過ごし、何億人もの人が実際にどう動いたかをずっと追ってきました。

実はそうしたアジアの姿を見ていると、一抹の不安を感じました。現代のアメリカの、自国の政府は例外的な存在で、特別な役割を担うスーパーパワーで、世界の警察としてリーダーであり続ける、という考え方が通用しなくなってくると感じたのです。それこそがトランプ大統領が出てきた理由でもあります。アジアがずっと興隆し続け、アメリカが先頭に立つ時代が終わったことを認識できず、人々が感情的に抵抗しているのです。

中国やインド、韓国、ベトナムについていろいろ見てきましたが、この変容はまだ継続中で、これらの国は次の世代には完全に近代化されるばかりか、多くの点でアメリカやヨーロッパが成し遂げたものを上回ると思われます。私が中国やインドを定期的に訪れているのは、これから何が起きるのかを見届けたいというのも理由の一つです。

考えてもみてください。中国とインドの人口を合わせると約二十八億人と、この二カ国だけで世界人口の三分の一以上です。この数はアメリカの人口の約十倍の規模で、数字上だけでも中国とインドの世界への影響力がアメリカを上回っています。彼らがエネルギー問題や公害、二酸化炭素排出、温暖化、気候変動にどう対処するかは、アメリカより大きな影響を世界に与えるのです。

そして、かなり近い将来に文化的にも大きな変容を遂げるでしょう。彼らが世界の人々が買って真似したくなるような、いままでと違った音楽や映画などを創り出すのです。

東アジアは個人主義より社会契約を重視する文化

私とアジアの関わりについて、もう少しお話ししましょう。私は大学を一年でやめ、アジアには写真家として訪れました。しかし誰かに雇われたり、お金を稼いだりするためではありませんでした。個人的な目標があり、自らにそれを課していたのです。そして、各地の祭りや様々な風物を撮影することを毎日続けていたのです。

プロのように仕事はしていましたが、収入はほとんどありませんでした。遊びに行ったり泳ぎに行ったりしていたわけではなく、毎日ただ外に出て一日中撮影していたのです。現在も仕事の出張でアジアに行きますが、撮影のためだけの日を作っています。

いろいろなアジアの国に共通する西欧との一番重要な違いは、プライバシーに対する考え方でしょう。アメリカでは公と私の領域がはっきり分かれているのですが、それがアジア、特に東アジアでは曖昧で、家の前庭に許可なく他人が入れて、追い払われることもないんです。

それに仕事をする際も、戸外で行なっていますよね。ドアを開けっぱなしにして何かを作り、通りに作業を持ち出して、家の中で料理したり働いていたりする様子が、そのまま見えてしまう生活様式なんです。

それは私のような外部からの訪問者には都合がよかった。よく農家を撮りたくて何度も入れてもらいました。ノックしたり写真撮影の許可を取ったりすることもなく、そのままそこで一日を過ごせるのです。

他の文化的な相違点は、アジア文化における個人主義と社会との関係です。特に東アジアの文化では、個人主義より社会的契約を重視しています。当時もそれが当然と思えました。日本ではその傾向が特に強いと思いますが、コミュニティーのコンセンサス（合意）が極端に強く働き、人々が自分の住む社会の動きを強く意識して行動しています。アメリカ人はその点、社会の構造にはまらず、自分がしたいからするという自己中心的な傾向があります。

例えば数学を勉強したい若者がいるのに、実家は店を継がせたいというような話は国を問わずよくありますね。その場合、アメリカでは家族がどう言おうとその人はその道に進んで、家族を支える別の方法を探すでしょう。しかしアジアでは家族やコミュニティーを支える方に重点があって、自分の意思を曲げたりすることが多いのではないかと思います。

ネクストｉＰｈｏｎｅを生み出すのは中国企業

将来はアメリカが恐れているように、中国企業が経済的にまさる時代が来るのでしょうか。そうなるという確信は持てませんが、その可能性は十分あると思います。いくつかシナリオを描いてみるなら、その一つとして中国の巨大企業が世界を牛耳るものもあるでしょう。その理由として、国家の後押しを指摘する人もいます。中国は国と企業のつながりが非常に強く、すでに国内に巨大な市場がありますから、その勢いのまま世界に出ていくことになるでしょう。もともと大変に商売上手な人たちですからね。

しかしそうはならないとする論議も同じぐらいあります。政府とつながっているため、競争を避けたり、異議を唱える人を検閲したりといった問題があり、所有権の問題でも不透明な状態です。近年、中国企業のファーウェイがアメリカで排除された問題を見ればわかりますが、世界一の企業になりうる可能性があったのに、政府との関係が問題視されて、世界一への道は閉ざされてしまったように見えます。

現在の中国政府による、国外へのネットアクセスを制限するためのグレート・ファイアウォールは彼らの成長を助けていますが、長期的に見ると世界の企業と全面的に競争するときには、この壁が足を引っ張るでしょう。グレート・ファイアウォールの保護がなくなったときに、世界で戦っていけるかどうかは疑問です。

しかしファーウェイの事態は十分予想できたはずです。中国は彼らの作っているもののブランド力に、信頼というものが不可欠であることを理解すべきです。車を買う場合には、その車の安全性をまず信頼しなくてはなりません。

おまけにこれから自動車は、もっと広帯域なネットやいろいろなものにもつながります。そこで利用者は自分のデータを中国政府がきちんと扱ってくれ、品質保証もしてくれないと困ると考えますよね。中国は地球規模ではまだそこまでできていないと思いますが、もしかしたら（能力としては）できるのに、中央政府とのつながりが強すぎるせいで叶わないのかもしれません。

とはいえ、私は十年以内にｉＰｈｏｎｅに相当するような、欧米人も含めて世界中の人た

ちが欲しがる中国製の製品が出てくると予想しています。スマートグラスなのか電気自動車なのかはわかりませんが、中国人がデザインして創造したブランドです。例えばある中国企業が、誰もが欲しがる高品質で格安のスマートグラスを開発して、ARやデータを牛耳ることになったら、アップルのような地球規模の企業になるかもしれません。

深圳のエネルギーの源は

中国には、アメリカのシリコンバレーに相当する深圳《しんせん》という場所があります。スタートアップがたくさん集まっていますが、そのエネルギーの源は移民の力です。アメリカの場合も、市場の活気は多くの移民のおかげで、ここ二〜三世紀の間に野心に燃えた人々が渡ってきて、私を含む皆がこうした最近の移民の子孫なんです。例えばイタリア人とインド人が一緒になって、新しいアイデアや文化が混じり合ってハイブリッドな文化を形成し、それが花開いています。これこそが過去二世紀の間に成長したアメリカのパワーです。

人々は気づいていないようですが、中国では現在それと同じようなことが起きていて、移民のエネルギーがあふれています。それは国外からではなくて**国内の移民**です。中国は非常に大きな国でいろいろな地域に分かれており、何百もの言語が使われています。雲南省の山間部で話されている言葉は上海とまったく違い、広東省や広州、北部のハルビンとも異なります。書き言葉だけは同じですが、地域が違えば話し言葉は通じません。

いまでは彼らが同じ都市で一緒に暮らしています。誰かが甘粛省《かんしゅくしょう》の村から片道切符で出てきて、雲南省から来た誰かが隣で働いている。彼らは国内移民ですが、まるで違う国から来たかのように集まって一緒に働くことになり、融合して全体で盛り上がっているのです。深圳は千二百万人が暮らす、ニューヨークのような大都市ですが、深圳生まれの人はほとんどおらず、二十年以上前に作られたものは少ない、キラキラした新しい都市です。

富の源泉は他と異なっている部分にある

日本についてはどうでしょうか。一番重要な点は、**日本があらゆる面で他国と異なっている**ということです。というのも、ニューエコノミーが支配する世界では、すべてのイノベーションや富の源泉は、他と違っているということなのです。他人と違う考え方やアイデアを持っていなくてはなりません。**日本人の考え方の違いは力**です。

日本がどう他国と異なっているかというと、まず動かないものに対しても生命があるという哲学を持ち、岩や石、土や木ばかりか、機械にも魂があるという感性を持っている点です。そのおかげで、ロボットに対しても他国と違う見方をしてきました。こうした世界の他の国々と異なるテクノロジー観は、非常に強い文化の力になります。

私は日本で働いた経験はないのですが、日本の合意に基づいた働き方も他国との違いだと思います。それが邪魔になる場合もありますが、非常に役立つ場合もあります。

私は友人のスチュアート・ブランドたちが立ち上げた、長期的な問題を考えるための団体・ロング・ナウ財団で、一万年の時を刻む時計を建設しています。高さは五百フィート（約百五十メートル）で山中に設置され、自律的に一万年間動くものです。毎日正午に、異なったメロディーのチャイムが流れます。

これを一万年間きちんとメンテナンスしていかなくてはならない、という問題がありま す。私はいつも日本に来ると、電車で通過する農村や都市の風景を眺めて、屋根の瓦などが破損していないかチェックしていますが、いままで一度も欠けたものが見つかったことがありません。世界中どこに行っても日本ほどメンテナンスが完璧な国は知りません。そこで私は、この時計のメンテナンスは日本に頼もうと提案しています。こうした作業は、日本人が世界の誰よりも上手にこなしていますからね。

日本のメンテナンスはすばらしくて、例えば伊勢神宮ではずっと二十年ごとに建て直し作業（遷宮）をしていますよね。それこそ長期間のメンテナンス作業です。また、世界で最も古い会社が存在するのも日本です。酒蔵や旅館がそうで、千年程度の歴史に及ぶところもあります。ですから彼らは長期間のメンテナンスに長《た》けているということですね。

さらに、日本は昔からものを小型化する技術に非常に長けています。小さな空間に合うよう、小さく考える思考法です。それは現代の世界でも空間の有効利用などに役立ちます。より小さな量を扱う発想ですね。

いま世界中で起きている「収斂と分岐」

世界中を旅してわかったことは、工業化時代の前に国や地域が隔絶していることで生じた非常に多様な文化が、いまではグローバル化で統合され、あるレベルで人間の文化がどんどん収斂《しゅうれん》していっています。ところがその収斂のせいで、他のレベルでは分岐が加速するという現象が起きているのです。

よく知られているマズローの人間の欲求の階層（自己実現理論）で言うなら、最も基本的な階層は、生存に必要な生理的欲求です。そこから安全欲求、社会的欲求と階層が上がっていくと、人は趣味や仕事を求めるようになります。そしてこうした基本的欲求が満たされ、その階層の一番上になると、自分が誰でなぜここに存在しているか、と考えるようになり、ある種の自己への目覚めや自己実現の段階に達するのです。

最も基本的なレベルでは、われわれは地球規模で収斂しています。誰もがエアコンや水道水、Wi-Fiが欲しいし、それは世界のどこでも同じです。そしてさらに、学校に通えば同じ教科を習うことになります。かなり多くの場所、特に人口が集中してくる都市部では、同じ映画を観て、似通ったものを食べているかもしれない。

しかし実際、こうして欲求階層の最下位のレベルで収斂が起きることによって、われわれがなぜここにいるか、それはどういう意味があり結局は何をしたいのか、ということを理解するための多様化が促進されます。生活スタイルのレベルでの収斂が起きる一方で、**人々のアイデンティティーに対する考えの多様性がどんどん増していく分岐が起きます。**つまり、文化的に生存の基本レベルでは収斂が起き、それらの意味解釈では分岐が起きるということになると思います。

都市がますます勃興する

大都市の周りに機械化された農場が広がる未来

グローバル化した世界では経済もグローバル化し、違う文化の国々が集まって自国の役割を模索し、他国と比べた優位点を探ります。こうした点は、今後世界中の人が地球規模で移動する時代に大きな問題になると思います。日本語が話せなくても何でも揃っているので来て協力してほしい、と東京という場所の魅力をアピールすべき時代が来ます。

しかし残念なことに、これから百年も経てば、日本は東京とそれ以外の過疎化した地方に分かれてしまうでしょう。最近妻と四国遍路をしたのですが、若者が都会に行ってしまい村にはほとんど人が住んでおらず、殺風景なせいなのか、バス停などにマネキンが置かれていました。中国でも同じ状況で、ある村では老人と孫の赤ん坊しか暮らしていませんでした。他の人は深圳や北京に行ってしまったのです。今後百年も経てばこうした村は消滅するでしょう。日本だけでなく、世界中で都市は巨大化する一方で地方は過疎化して誰もいなくなっていきます。

将来は大きな都市が好まれ、その他の地域は食料生産のための平地で、それ以外は自然のままになるでしょう。**非常に効率的な都市に暮らし、郊外の自然の中にある農園ではロボットが働いている**というイメージです。

今世紀中に、ある産業に特化した都市のクラスターが出現する

長期的には、現在の深圳で起きているように、ある種の産業に特化した都市のクラスター（集団）ができていくでしょう。深圳ではソフトウェアではなく製造業に特化し、シリコンバレーにソフトウェア開発を集約するという感じです。こうした全体がエコシステムになります。

例えばボストンのような所がロボット開発の中心になり、ロボット関連のスタートアップが集まる。ロボット関連の起業をしたかったら、ボストンに行けばいい。家電関連の起業をしたかったら、深圳に行けばいいといった具合です。いまでは南カリフォルニアには映画の

スタートアップのクラスターができています。ですから映画監督やスターになりたかったら、インドのボリウッドもいいでしょうが、ハリウッドの方がもっと大きくて有利です。

今世紀には産業別に中心となる都市ができ、その分野を目指すならそこに行くという話になるでしょう。デザインならアムステルダムということになれば、世界中のデザイナーがそこを目指すのです。東京はどういう中心になるのかわかりませんが、ロボット産業でしょうか？

メガシティーのクラスターができ、才能や資金をやり取りし合うんです。メガクラスターとは、人口が数千万人以上の規模で都市を囲む一帯ですね。個々の都市より広い地域です。東京やサンフランシスコのベイエリア、広州、深圳、香港、メキシコシティーといったところの一帯や、ボストンとワシントン、ニューヨークが集まって一つの都市のように機能するのです。

都市が人材を奪い合う時代に

以前**「国は小さな問題を扱うには大きすぎるし、大きな問題を扱うには小さすぎる」**という言葉を引用したことがあります。私は国ではなくて都市が主導権を取った方が、より良い世界が実現すると考えています。私が見たいと思っているのは、国や民族国家より力を持った都市が勃興して、世界中に巨大都市ができて成果を出しながら、世界中がこうした都市連合のネットワークになっていくことです。現在はほとんどのイノベーションは都市から興り、富が集まり、面白いことはすべて都市で起きています。

将来は都市がますます成長し、いっそう都市人口が増加するとされています。**現在の都市人口の割合は全世界人口の約50%超ですが、これから75%近くになる**でしょう。そしてこうした現実に合わせた政策が必要になるでしょう。

こうした傾向が続いていったはるか未来には、移動に対する人権が国際的にもっと保障され、現地の法や税制に従うなら基本的に誰でもが地球上のどの都市にでも住めるようになるかもしれません。誰もが住むことを阻止できなくなれば、都市同士がお互いに魅力を競い合うようになるでしょう。

二〇七〇年には、全世界的に人口が減少し始め、その傾向は毎年続いていきます。そのため、都市は人口確保を競い合うようになるでしょう。そしてそれからはるか先は――これは私の夢かもしれませんが――**都市が国家より力を持つようになる時代が来る。**それは現在カリフォルニア州がアメリカの政策を先導しているのと同じようなことです。

カリフォルニア州の車の排ガス規制を例にとりましょう。カリフォルニアは、他の地域よりずっと環境基準が厳しい状態です。州がとても大きいですから、メーカーも複数の規制に対応する車を作りたがりません。そこで結局アメリカ全体の統一規制が、カリフォルニア州にならったものになります。

こうした事例は他にも当てはまり、ある都市が、同じ国の他の地域よりも厳しい環境基準を作ったなら、他の地域もそれに追随せざるを得なくなるでしょう。ヨーロッパが世界の他の地域より厳しいプライバシー保護法を作ったら、他の国もそれに追随せざるをえなくなったのと同じ話です。ですから都市はこうした先導力を持つようになると考えています。

ケヴィンの書斎の壁は、おびただしい数の本で埋めつくされている
photo by Jason Henry

第5章

テクノロジーに耳を傾ければ未来がわかる

変化が加速する時代に

テクノロジーの声を聞く方法とは

本書の冒頭で「私が心がけているのは、テクノロジーに耳を傾け、それがまるで生き物であるかのように、『テクノロジーは何を望んでいるのか？』と問いかけること」と述べました。

では、テクノロジーが何を望んでいるかを知るためにはどうしたら良いのでしょう。私は、テクノロジーは人間と関係なくわが道を行くものと考えています。ですから、その様子を確かめるために、それが非公式にどのように使われるかを観察します。発明者は自分の発明品がどう使われるかを予測しますが、たいていの場合、その予測は誤りです。テクノロジー自体が、ある事象を他より好む傾向があるのに、発明者にはそのことがわからないのです。人々がそのテクノロジーを使うようになって、元の意図とは違う使われ方をすることで、初めてそれがわかるようになるのです。

そこで私が注目するのは、**テクノロジーが若者や犯罪者によって街中で乱用されている様子**です。そうすると、そのテクノロジーがどちらに向かっていくか、自然な傾向を感じ取ることができるのです。例えばインターネットについて見るなら、当初、図書館での検索や研究に使えるなどと公式には言われていたのですが、実際はゲームとかポルノに類する使われ方がほとんどだったのです。

こうした最下層での使われ方を見た方が、全体の傾向を把握できるということなんですね。つまり、発明者の意図とは違った使われ方をしている場面を見ることで、**テクノロジーが持つ自然の方向性**が幾分よく見えてくるということなんです。

ゲームのルール自体が変化する時代

現代は、変化が変化を求めている時代です。変化の最初のレベルでは、世の中に変化をもたらす仕組みとしてのゲーム自体が変わり、その次のレベルではゲームのルールが変わる……つまり、**変化が連鎖していく**のです。私は以前、科学的方法の進化について研究したことがあります。われわれは科学的方法というのはただ一つだと思っていますが、それはたくさんの要素が一緒になってずっと進化を続けたものなんです。科学とは「何かを知り物事を理解する方法」です。人類がそれを採用したことで進歩が加速され、寿命が延び、物事の安全性が高まりました。

科学的方法が進化し続けているということは、ゲームのルール自体が変化しているようなものです。それは学び方や物事の理解の仕方を変化させます。現在まさに、ユーチューブのようなツールによって、発見を広める速度が増し、より早く共同して学べるようになっています。そこにフェイクニュースが出てきて、それがまた物事を知る別の方法になっています。それこそが変化の性質で、変化のルール自体も変えてゆくのです。学ぶ速度を増すことができれば、知識の拡大そのものの性質を変えることになり、それこそが進歩になります。

ウィキペディアやユーチューブなどは、フェイクニュースに立ち向かう方法、正しい情報とそうでないものを確かめるためのツールになりつつあり、変化が起きること自体に変化を与えています。われわれはある変化が進行しているかと思うと、急にまた違った形で変化を加速する別の変化が起きるという、**変化の起こり方自体を変化させている時代にいる**のです。

学び方を学ぶスキルが必要だ

このように、グローバリゼーションやテクノロジーの進歩がどんどんと加速し不確実性が増す世界では、小学校から高校までの十二年間の教育で、「学び方を学ぶ」という汎用のスキルを持つ必要があるでしょう。そして**高校卒業の段階で、自分に最適化した学びの方法を習得していなければなりません。**

われわれは誰もが少しずつ違った形で学んでいます。勉強を繰り返す間に十分睡眠を必要とする人、手を動かした方がいい人、聞いて学ぶ方がいい人、実際に行動した方がよく学べる人もいます。学ぶまでに同じことを五回繰り返す人も、四回で済む人もいるでしょう。しかし、まずは自分の学び方のスタイルを迅速に最適化する訓練をして、どうすれば最速で深く学べるかを意識し、理解しなければなりません。

「どうやって学ぶかを学ぶ」というのは究極のスキルで、大学を卒業して就職するまでに誰も教えてはくれません。例えば、これからどういうプログラミング言語を学ぼうか考えたとき、現在主流のものは五年後には消えるかもしれません。あなたが本当に就きたい仕事は、いまはまだ存在しないかもしれない。

　こうした変化しやすい世界では、一生の間に何度も物事のやり方を変えなくてはならなくなるでしょう。以前にやったことをいったん忘れて、新たに何度も学び直さなければならなくなるのです。自分にとって一番得意な方法で、適応して学ぶ能力を持つことが最も重要なスキルになる理由は、そこにあります。


　現在のところこうしたことを学べる学校やカリキュラムはないし、そのスキルは未知のものです。とはいえ、学校での勉強は無駄だと言っているのではなくて、まったくその逆です。より多くの人が「学び方を学ぶ」スキルを身につけるためには、多額の投資をして努力を重ねなくてはならず、多くの人が関わらなくてはなりません。

　学び方を学ぶには、まずは個別分野を学ぶ必要があり、そこで新しい知識を獲得するための読み書きを身につけるのです。ある分野を手がけるうちに、微積分や統計のような関連手法も学ばなくてはならなくなり、自然と学べる場合もあるでしょう。

　ですから**学校の教育は専門的でなく、できる限り広いものを対象とし、ジェネラリストを育てるべき**なんです。幼稚園から高校まで、さらに大学の教育はできるだけ広い範囲に及ぶべきです。興味があるものに関しては深めてかまいませんが、全体的には広い視点を持ち続けなくてはいけません。

大学の一般教養のような教科はとても役に立つでしょう。それに加えてその他の専門分野や、趣味や、個人的興味を持っていればいいのです。しかしジェネラリストとして一般的な広い分野の思考に少しでも足がかりを持っていれば、予期しないものを受け入れることができるし、**普通は関係のない二つの分野を自分なりに結び付ける**ことができます。

成功した多くの人々のほとんどが、紆余曲折した道を歩んでいます。そうした人は、生まれてそのまま進路がわかっていて、すぐさま突き進んだと考えられがちですが、一直線に進んでいる人などいません。回り道をして関係のない経験をすることで、以前には誰も考えなかったようなもの同士を結び付けることができ、その結果とても価値のあるものを創り出しているのです。まるで興味のないことにも触れてみる経験が、時間が経って非常に強力な結びつきを生むことにつながるのです。

とはいえ私自身も、まだとてもその境地には達しておらず、模索しながら勉強中としか言えません。しかしそれを追求し続けたことで、自分のキャリアとは違うところで発見をしたと思っています。自分のキャリアにとって必ずしもプラスにならないものでも、興味深いプロジェクトだったら進んで加わったのです。そこでデザイン思考的なアプローチを余儀なくされて、学び続けるようになりました。本なんて書いたこともなかったのに、本を書く契約も受けました。動画など撮ったこともないのに、動画のシリーズを作りました。触ったこともないポッドキャストも始めました。まったく新しいプロジェクトに挑んできたので、いつも新しいことを学ぶはめになったのです。

結局のところ、未来を作るのは楽観主義者だ

テクノロジーは良い面が51%、悪い面が49%

私は世界を非常にテクノロジー的な視点から見ている、と述べました。テクノロジーには良い面と悪い面があり、諸刃の剣です。どんなテクノロジーも、それが解決する問題と同じぐらいの数の困った問題を引き起こします。それによって起きる問題は新しいばかりか未知の恐ろしいものもあり、現実にそうした事態も起きています。

ここで、私が考える良いテクノロジーを判断するための基準について少しお話ししましょう。例えば原子爆弾は望まれないテクノロジーですね。というのも、それは人命を奪うことで、その人の可能性や選択の自由などを排除してしまうからです。原子爆弾のような機器の主な目的は、「選択肢を排除する」ということなのです。

しかしそれを原子力発電に生かせば、多くの人に可能性と新しい選択肢を与えてくれま

す。電気があれば夜も働けるようになり、電灯によって昼の時間を長くできます。それは新しい力になります。手作業で行なっていたすべてのものに電気を使えば、それらを自動化することができます。それによって何百万もの人が持っているアイデアの可能性も広がります。

このように、両者の基本は同じ原子力という力なのに、全く真逆のテクノロジーということになりますね。

同じ科学的思考だが違ったテクノロジーで、一方は可能性を広げ他方は減じてしまう。原子力の例はちょっと極端すぎるかもしれませんが、他にもいろいろ想像できるでしょう。

例えばＡＩは、大きな可能性を持っていると言えます。なぜかと言うと、ＡＩによって様々な新しい可能性が生じること、あるいは反対にＡＩによって様々な問題が生じることをわれわれは容易に想像できるからです。そのうえ、その問題点が実は同時に新しい可能性でもあり、全体としては可能性を増してくれている。

われわれがＡＩを使って行なっていることは、ひたすら拡張していくということが基本です。それによって新しい仕事やアイデアや産業が生まれ、さらにそこから何百万もの新しい役割やアイデアや仕事が広がります。そしてこれこそが、今後五十年にわたり大きな可能性を広げるテクノロジーの姿です。

他にもイーロン・マスクがトンネルを掘って作っている高速輸送システム（ハイパーループ）のようなテクノロジーもありますが、トンネルで高速走行できたとしても、ＡＩほど人々の可能性を増進してはくれません。ハイパーループは一次的なテクノロジー（波及効果の低いテクノロジー）ですが、ＡＩは二次的もしくは三次的な可能性を次々に広げていくテクノロジーです。つまり、**ＡＩは様々なものを変化させる波及力がある**のです。

遺伝子工学も、非常に可能性を拓いてくれるものの一つです。エボラ熱のワクチンは、人命を救ってくれるすばらしいものですが、ゲノム編集テクノロジーであるクリスパー・キャスナインには及びません。それを使うことによって他のテクノロジーが可能になり、そのテクノロジーがさらに鼠算《ねずみざん》式に可能性を広げてくれます。つまりテクノロジーを見る際の私の判断基準は、それが掛け算式に可能性を増やしてくれるかどうかという点にあります。

テクノロジーはただの中立的なものではなく、起こす問題と解決の割合は、半々に見えても実はそうではありません。私は、テクノロジーは良い面が51％で悪い面が49％の割合だと思っているのです。そこではその違いが１％か２％かといった些細な点は大した問題ではありません。しかし時間が経ち、その1％が大きな違いとして出てきて初めて、その差がわかるものなのです。ですから進歩というものは、現在ははっきり見えないが、歴史を振り返って初めて見えるものなのです。

「プロトピア」を思考せよ

私は非常に楽観主義者で、自分が創刊に携わった雑誌『ＷＩＲＥＤ』も世界が何と言おうが楽観主義を貫いており、それはほとんど信仰や信念に近いものです。それは実際、コップに水が半分入っているのを見て、「半分も入っている」と考えるか「半分しか入っていない」と考えるかの違いでしょう。

「まだ半分も入っている」と考える発想によって、われわれは未来をより良くすることができます。まず初めに自分が生きていたい未来を想像することができれば、より簡単にそれを実現していくことができると思うのです。未来が今日よりも良くなると考えることは可能性の話に過ぎませんが、まずその姿を想像してかかった方が、ずっと楽に実現できるということです。ある種の**能動的な想像力**とでも言いましょうか。

とはいえ、その未来はいわゆる「ユートピア」を指しているのではありません。私は**「プロトピア（protopia）」**という言葉を使っています。すべてが完璧な世界を想像しているわけではなく、今日よりほんの少しだけ良い状態を想像しようという話です。これはプログレス（progress＝進歩）からの「プロ」という言葉にトピア（場所）を付けた造語です。

歴史は「世界は良くなっている」ことを教えてくれる

私が楽観的なのは歴史を学んだからです。ここ二百年ほどの歴史の進歩を振り返ってみると、進歩は段階的に起き、毎年の変化はわずかで、長寿化、安全性の向上、暴力の低減などがちょっとずつ進んでいます。**過去二百年の歴史における改善や進歩は、毎年ほんの少しずつの増加の積み重ねで生じたもの**なのです。

平均的に見て毎年１％ほどのほんのわずかな増加、つまり良い方向への進歩が過去二百年間続いており、急にそれが止まるとも思えません。もちろん絶対ではありませんが、これまで見てきたありとあらゆるものから考えるに、同じことが来年も起きるでしょう。こうした進歩の実態をきちんと理解すべきなのです。

そしてそうした1%の進歩がずっと続いていけば、今後二十年から二十五年の間にわれわれはどういう方向に行くのか、何を得るのか、それは良いものなのか、ということが問題になります。毎年ほんの少しずつの進歩の積み重ねで、二十年後にはもっと良くなっているという絵を描いて、それに向かって行くのです。

しかし、「世の中は年々悪い方向に行っている」と捉えている人も多くいると思います。それはなぜかというと、ほんのちょっとの進歩はなかなか見えないからです。たった1%の差は短い期間ではほとんどわかりません。それに対して、悪い部分は49%と半分近くもあるので容易に目にとまります。

さらに、新聞やオンラインの報道は、良いニュースより悪いニュースしか報じません。今日起きなかったことは報じないのです。ハーバード大学教授のスティーブン・ピンカーも言っていますが、良いこととは「今日は何も悪いことが起きなかった」ということなのです。例えば、今日あなたは、強盗に遭ったり道中で橋が崩れたりもしていません。でも、そういう話はニュースにはならず、唯一ニュースになるのは、例外的な何かいつもと違う話だけです。ですからニュースには最悪な話しか出ていませんし、現実をきちんと反映したものではないんですね。

それは**複利計算で利息を計算する**ような話です。毎年進歩の度合いが１％増えるとすると、いや毎日変化はあるので日々と考えると、そういうことが何代も続いて、百年経った後にどんなことになるか考えてみてください。それこそ文明が辿った道です。

例えば現在の東京を見てみれば、ビルが立ち並んでいますが、それはこうした１％の成長をここ数百年経てきた証しです。その期間に文明が進展し、医療保障も発達したということになります。

より良い未来を作るために

とはいえ、テクノロジーに関して悲観的な人、あるいはテクノロジーが怖いと思っている人の考え方は、ある意味では正しいと思います。というのは、新しいテクノロジーによって、いままでわれわれが直面してこなかった新しい問題が出現してくるからです。テクノロジーがよりパワフルになってくればくるほど、より強力にそれを濫用する、誤用するということも可能になります。ですから、それに恐怖を感じるという反応は正しいのです。

われわれがいま直面している問題というのは、多くの場合、過去において人類が発明してきたテクノロジーによって引き起こされています。二十年後に最も大きな問題を引き起こしているのは、おそらくはいま発明されている、あるいはされつつあるテクノロジーです。

では、そういう点についてなぜ私は楽観視できるのか。それは、テクノロジーが引き起こした問題に対する解決策は、決して「テクノロジーを減らしていく」ということではないからです。解決策は、「より多くの、より良いテクノロジーをつくっていく」ということになると思います。

ある一つのたとえを話して本章を終わりたいと思います。例えば、ある人がバカなアイデアを披露したとします。それに対する賢明な反応は、「あなたはもう考えるのをやめなさい」と言うことではなく、「もっといいアイデアを考えてみなさい」と言うことではないでしょうか。ですから、愚かな、あるいは有害なテクノロジーが出てきた場合に、それへの対応は、「テクノロジーを減らす、やめにする」ということではありません。そうではなく、より多くのより良いテクノロジー、あるいはより良い考え、思考法を編み出すという姿勢が、本来あるべき姿だと思います。

楽観論には、あらかじめ物事を可視化できる効果があり、映画業界がやっているような、自分が望むものを事前に見える形にしておくことが可能です。そしてまた、悲観論や批判も不可欠なのです。車の運転にたとえてみるなら、道を進めるには楽観論としてのエンジンが必要ですが、悲観論は曲がったり止まったりする際のブレーキのようなもので、それがなくては運転もできません。とはいえ結局は、エンジンがブレーキにまさるものなんです。

Column

前近代的なアーミッシュの暮らしから学んだこと

私が経験した、アーミッシュの暮らしについても少しお話ししたいと思います。私が最初に自転車で全米を横断したときに、初めてアーミッシュと出会いました。その後何十年も経って、書籍の執筆調査中にアーミッシュの関係者とつながり、彼がアーミッシュに紹介し、案内してくれたのです。そこで友人ができ、何度か短期間訪れて、家に泊めてもらってインタビューもしました。

彼らについて書かれた本もたくさん読みましたし、アーミッシュがテクノロジーについて話す会議にも参加しました。先に述べた通り、アーミッシュは新しい流行のテクノロジーを拒否する人々で、前近代的な生活を営むコミュニティーを築いています。

一般的に、彼らはものすごく簡素な生活をしていると思われていますが、まったく違います。非常に複雑なものですよ。まずアーミッシュといっても、いろいろな種類の非常に多種多様な人がいるんです。各教区やコミュニティーで、テクノロジーに関して少しずつ違う規則があるので、一括して語ることはできませんが、大雑把に言ってアーミッシュはテクノロジーを取り入れるのが最も遅い人々なんです。人によって取り入れるまでの時間には差がありますが、一般的には世の中でそのテクノロジーが流行り始めた五十年後にやっと取り入れているというのが現状です。

いまだに電気もガソリンエンジンさえも使っていない人がいて、移動は馬だけで、後は手作業です。電気を使っている人でも、太陽光エネルギーのみという人もいます。車を使っている人も中にはいますが、その場合でも車の色は黒のみです。

まったく電気は使わないけれど、ディーゼルエンジンは使うという人もいます。ガソリン式のコンバインを馬で引いて使っている人もいます。本体はガソリン式だけど移動は馬なんですね。

アーミッシュは家で有機食材ばかり食べていると思っているアメリカ人は多いですが、それはまるで違います。一般的なシリアルや砂糖を使った食品や加工食品、ポテトチップスも食べています。まるでアメリカの一般家庭と同じです。

とはいえ、アーミッシュの中には太陽電池式の携帯電話を使う人もいます。われわれの間でも、乾燥機を使わず外干ししかしない人や、CDは聴かずにアナログレコードという人や、飛行機には乗らない人もいるでしょう。他にもインターネットは使うが、フェイスブックは使わないとか、いろいろな事例がありますね。

「家族」と「コミュニティー」を基準にした生活

われわれとアーミッシュの違いは、テクノロジーを使うかどうかの判断を個人ではなく集団で行なっているという点です。彼らは全員で決めるんです。そしてそれを決めるときの基準は二つあります。

われわれは通常、このテクノロジーを生活に取り入れるか取り入れないかを決める際は、好き嫌いや自分に合うかどうかで決めると思います。しかし彼らは、まずは家族と三食一緒に食事ができるよう、もっと時間を増やせるテクノロジーかどうか、と考えます。つまり自分の家や裏庭で仕事をできるようにするテクノロジーか、ということが重要なんです。彼らは農業か何らかの製造業に従事しています。そうしていれば家族と一緒に過ごすことができ、近くの学校に行っている子どもは昼食を食べに帰ってこられます。

そして二つめの基準は、そのテクノロジーが、消費と時間を自分たちのコミュニティー内にとどめておくことができるかどうかです。

車を持たず馬と馬車しか使わない人の移動可能な最長距離は往復十五マイル（約二十四キロメートル）なので、すべてはその範囲内で行なわなくてはなりません。買い物や病院に行くのも全部その範囲で済ませる地域社会なのです。

もし車を持っていれば、もっと遠くまで行ってしまうので要らない。電話を持っていても遠くに行く用ができるから要らない。それらがわれわれと彼らの違うところで、コミュニティーが基本になって二つの基準があるのです。

多くのアーミッシュは大家族です。例えば八人も子どもがいて、いつも一緒に食事をしているとても強いコミュニティーです。また保険というものがありません。ですから火事で家が焼けたりすれば、コミュニティーがその人のために家を建ててあげます。誰かが病気になれば、皆が協力して医療費を払ってあげます。保険がありませんからね。とても強い結びつきで、友好的な人々です。しかし困ったことに、いろいろ禁止されていることもあり、音楽は聴きませんし、本も読みません。家にも本は置いてありません。学校には行きますが第八学年（日本での中学二年生相当）までで、読み書きを教わってそれで終わりです。ですから医者などの専門家になる人はおらず、外の医者や弁護士や科学者に頼っているのです。男性が選択できる職業は二つで、農家か大工などの建築業で、女性なら妻になって母になるだけです。

ARやスマートグラスを取り入れるときは、こう考える

とはいえ彼らのテクノロジーの選び方には、われわれにも参考になる点があります。例えば次の時代にARやスマートグラスが出てきたときに、どういう基準で選ぶか考えてみてください。それが自分の達成したいことに役立つか、家族を良くしてくれるか、自分のコミュニティーを良くしてくれるか、自分を向上させてくれるか、とアーミッシュのように考えてみるのはどうでしょうか。

私は長い間スマホも使わず、ツイッターもやっていませんでした。ラップトップパソコンを持っていない時期もありました。しかしいまではラップトップもスマホも持っていますし、ツイッターも使っています。しかしスマホではソーシャルメディアはきちんとコントロールできないので使っておらず、ただの電話とグーグル検索専用です。ちなみにアレ

クサも使っていますよ。

しかし家にはまだＶＲやＡＲ関連の機器は置いていません。まだ十分なものがないからですが、これからもいろいろ試していきたいと考えています。スマホは最新のものではなく二世代ほど前のもので、まだアップグレードはしていません。

ですから、新しいものを使ったらどうなるかを事前に十分考え、日常使うには最低限のものだけにしています。いつも多くのものは試していますが、その中から使うものは厳選したものだけで、ほとんどのものはパスしているんです。

第6章

イノベーションと成功のジレンマ

偉大な起業家たちとの対話で得た結論

伝説的雑誌『WIRED』創刊に至るまで

第4章で述べたように、私は一年で大学をやめ、まず香港、そして台湾に行って、次には日本で鹿児島から貨物船で大阪まで渡りました。そして次に韓国に行ってまた日本に戻って来ました。この一九七二年の旅が最初で、帰国してちょっと働き、次にインド、ネパール、アフガニスタン、イランやイエメン、エルサレムなどを訪れ、再び帰国しました。しかし、じっとしておられず、国内の各所に住んでいる親戚を自転車に乗って訪ね歩き、ヒッチハイクもしました。その頃、友人がニューヨーク州の北部に家を建てると言うので、それを手伝うことにしました。初めての経験でしたが、友人が手ほどきをしてくれました。まず敷地を整備し、基礎作りをしてから家を建てましたが、かなり大きな家だったのでいろいろ勉強になりました。

そしてその後は、大学に戻り、雑誌に文章を書く仕事を始めました。本格的に科学者を目指そうと考え始めた頃に会った友人が研究者で、ジョージア州の研究所に行きました。彼は微生物学の教授で、そこで二年間ほど働いたのですが、自分が科学に向いていないことに気づいたのです。その間にビジネスも始めており、物書きの仕事も続けて、研究所のコンピューターも使っており、そこでインターネットに出合ったのです。

その後はカリフォルニアに行って、雑誌『ホール・アース・カタログ』で働くことになります。そこでは自分が唯一知っている、初期のオンラインの実験に加わって、これは大事な話だと思いこの世界の話を書いたんです。簡単に言うとこんな経歴です。

『ホール・アース・カタログ』で最初に手がけたのは「ハッカー会議」の開催でした。そして同じ年に、最初の一般向けインターネットのアクセスを可能にした「The Well」というオンラインのシステムも始めました。その頃にネットを使えるのは、大学で「edu」というドメインのメールのアカウントを持っているか、テクノロジー関係の会社で働いている場合のみで、それ以外の人がインターネットを使うことはできませんでした。しかしこのThe Wellに加入すれば、インターネットが使えるようになったんです。月額八ドル（約八百八十円）で電子メールが使えて、インターネットの他の加入者ともやり取りできました。

同時期に他の雑誌も発刊しました。その中の一つに『Ｓｉｇｎａｌ』というものがあり、そこでいろいろデジタル関係の話を扱ったことが、雑誌『ＷＩＲＥＤ』につながったと思います。

その後、私にとって最初の本となる『「複雑系」を超えて』の契約をし、ホール・アースで研究休暇をもらって、自宅の裏の小さな雨漏りがする小屋に籠《こも》って、タイプし続けて五～六年かけてこの本を書きあげたのです。

本を書きあげた頃に、アムステルダムからルイス・ロゼットとジェーン・メトカルフが新しい雑誌『ＷＩＲＥＤ』を出すために編集者を求めてやって来ました。創刊号が一九九三年一月なので、Ｓｉｇｎａｌから四年と少々経って、『ＷＩＲＥＤ』誌の立ち上げを手伝ったわけです。そして創刊号には、この『「複雑系」を超えて』という本の中に出ている取材先やインタビューした人々に出てもらい、Ｔｈｅ Ｗｅｌｌに『ＷＩＲＥＤ』誌の記事も掲載しました。これが、私が『ＷＩＲＥＤ』創刊に携わるまでのストーリーです。

成功すればするほど、人生の意義が見出せなくなるジレンマ

私は、『WIRED』の取材を通じて、シリコンバレーで成功した数多くの起業家に話を聞いてきました。その結論として、成功すればするほど、人は自分の存在の意義を見出せなくなると感じています。

成功に守られて現実から離れてしまうんですね。私は七〇年代にインドなどを旅していましたが、年配の旅行者に会うことがあり、彼らはお金もありガイドが付いてバスで移動していました。私は自由に時間を過ごしていましたが、ツアー参加者は次の予定が決められているために時間が取れず、私のことを羨ましそうに見ていました。お金持ちは経験や時間稼ぎと安直さのためにものを買いますが、それが自分を現実から遠ざけてしまうのです。ところが私はお金がないので、そうした経験を得る唯一の方法は、クリエイティブに工夫をこらし革新的な方法を駆使するしかなかったのです。何も買えるお金を持っていなかったら、別の方法で目的に達するしかないでしょう。

成功することで、現状から外に出ることが難しくなってしまうのです。現状からちょっと

無理して成長することは可能かもしれませんが、どこか別のところに移ることはとても困難です。そっちに移動することは生死に関わることです。また貧乏になり、愚かになり、初心者になり、落ちぶれてお金も儲からなくなる。成功すればするほど、完全さを求めます。より成功したら、その完成度を上げたくなるだけです。完成したものにちょっと手を加え、もっと高度なものにしようと考えてしまう。

しかしレベルを上げるには、まずはいったん下げなければいけません。次のレベルに行くには、いったん谷底まで下りてまた登るのです。しかし、それができません。しかしこうして下りることは、成功者にとっては成功を否定するものなのでできないのです。

私はビル・ゲイツやジェフ・ベゾスなどにも会ってきましたが、彼らはまだ成功の真っ最中で、この例には入りません。彼らは自分のことをよくわかっていて、そのせいで依然として成功しているのです。**ビル・ゲイツ**はお金を稼ぐ人生から寄付する方向に転身しましたが、それは彼が自分自身や周りのことがよく見えているからです。業界のトップにいる時点で辞任しましたが、これは非常に難しい決断で、彼は例外と言っていいでしょうね。

スティーブ・ジョブズも、存命の頃は嫌われることが非常に得意で、いつでも嫌がられていました。ジョブズのことを好きではない人は多く、彼はとても傲慢で失礼な人なんですが、物事を推し進め、危険をものともせず、諦めずにやり続け、成功に囚われない。そのせいでいい人にはなれませんでしたが、ずっと成功し続けることができました。彼は自ら創業したアップルから、周囲に嫌われて追い出されましたが、その後またアップルに復帰しています。

私がイメージするのは、あまり有名ではない金持ちで、CEOになって成功していて、航空会社を経営しているような人たちです。誰とは言えませんが、成功者と思われているが、自分の人生や成功に非常に縛られている人で、サンフランシスコの不動産王みたいな、いくつもビルを所有しているような成功者です。

彼らを批判しようというつもりはありません。しかし彼らは成功を捨てて何かまったく違うことはできないんです。自分を本当に知るには失敗しなくてはならないし、上手くいかないことを経験しなくてはならない。

科学とは失敗を基礎にしたもので、本当に進歩するためには上手くいかない実験をしなくてはなりません。イノベーションも失敗から生まれるのです。**成功とは何かを知るためには、何か上手くいかないものに挑戦しなくてはなりません。**多くの人は成功すればするほど失敗するのがより難しくなり、それに抵抗してしまいます。同じことは私にもありました。

私も成功するほど、失敗する見込みが高いチャレンジをするのが難しくなり、我慢がきかなくなりました。

大企業がイノベーションを起こせない本質的な理由

それは会社にも当てはまります。例えばコンピューターの最高のOSを追求しているマイクロソフトのような会社は、ソフトという新しい山に移行するには、いったんいまの最高峰の山を下りないといけません。それを行なうのは大変難しく、できるのはよっぽどマニアックでクレイジーな人です。ちなみにビル・ゲイツには無理でしたが、スティーブ・ジョブズはそれができましたね。とはいえ、それは非常に難しい話で、成功している会社ほどその移行期には業績が低下してしまうので、破壊的な新しいテクノロジーに移行するのは大変なのです。

企業の規模が大きくなればなるほどイノベーションが難しくなるのは、新しい突破口が見つからないからです。そして端的に言うなら、成功すればするほど完璧さと（効率面での）最適化しか求めなくなるからでしょう。自分たちがすでに成し遂げてきたことや、プロセスが最適になることを追求するようになるのです。**新しい発見のためには、最適化とは反対のことをしなくてはなりません。**失敗する可能性が高く、儲けの少ない、小さな市場へと方向転換をしないといけないのです。どう見ても、ビジネス的には悪い環境です。

そして成功して最適化した会社ほど、まるで逆の悪いビジネス環境に向かって行くことには堪えられないのです。その場合、会社のトップは仲間に、スタート地点に立つ他の者と同じような、利益の上がらない、リスクが高い、小さな市場に向かうと、強固な意思を持って宣言しなくてはならないのですから。

例えば、第3章で挙げたクリーンミートの市場は現在小さく、リスクも高く、何の保証もありません。大きな会社はあえてそれにかける必要はあるでしょうか？　会社自体の舵をそちらに切るということはおそらくないでしょう。小さな会社にやらせてみて、上手くいけばその会社を買って子会社化して対処しようとするでしょう。大きくて成功しているために、自分たちの力ではこうしたイノベーションを起こせないので、そうするしかないのです。

しかしイノベーションは中央集中型ではなく分散型で、会社の文化に根差したものなんです。ですから会社を買ってもイノベーションは起こせず、それはただソリューションを買っただけです。そんなことをしても、それはそこに根付いた本来的なものにはならないので、それ以上の革新性は生まれません。ソリューションを買っているのはイノベーションではなく、ただの普通のビジネスです。

イノベーションはエッジから生まれる

私は世界を変えたイノベーションを起こした何人もの人を取材しています。**ビル・ゲイツやスティーブ・ジョブズ、ジェフ・ベゾス……彼らが世間的に最高峰を極めているときにはカオスの底にいた**というのが私の結論です。会社や国、インターネットといった、ありとあらゆるタイプの複雑系システムは、ある面で厳密な秩序を求めるようになります。より秩序を求めるような圧力が働くのです。カオスが好きな人はいません。会社員はよく「社内がカオス状態だからもっと規律を取り戻せ」と文句を言いますね。

しかしその一方で、物事には急に起きたり、制御が効かなくなったり、固有のカオスに向かう傾向があります。大型システムの研究でわかってきたことは、長期にわたって存続できたものは、完全に厳密な秩序と完全なカオスの縁の間にある、**非常に薄い隙間の上をサーフインするように滑って存在してきたものだ**ということです。いつでもその両側のどちらかに落ちる危険性をはらんでいるのです。

絶壁のイメージであり、その絶壁の縁こそが、物事をずっと続けるうえで、まさに最適な領域、スイートスポットなのです。最もダイナミックで成功している会社こそ、カオスの縁にいて完璧な秩序にも縛られないと感じているのです。もしそう感じていないのだったら、たぶんカオス側よりも秩序側に偏りすぎていて、ダイナミックな状態ではないのでしょう。

その実例は映画や雑誌のような定期的に何かを出している業界でしょう。そこでは締め切りというものが必然的にあります。映画では十二カ月以内などと製作期間が決まっており、月刊誌は毎月の決まった日に出版されるし、テレビでは「六時のニュース」のように時間が決まっています。そしてそれを完璧なものにしようと、死ぬほど苦労します。例えば雑誌の『ＷＩＲＥＤ』にしても、毎月本当に出せるのかと思うぐらい大変です。期日どおりに出版できるなんて、まるで奇跡なのです。しかし翌月もまた次の月も、奇跡を起こし続けていくのです。本当に物事がダイナミックに進んでいるなら、月を追うごとに楽になっていくはずだと思いますよね。でも、いつまでも絶壁の縁をさまよい続けているのは、毎月雑誌の質のハードルを高めていっているからなのです。

われわれはいつでもその境界の縁まで自分たちを追い詰めているのですが、それは**その部分が最も活気を帯びている部分だから**なんです。危険なことはやめて、なんとか秩序を作ろうと努めますが、結局自分たちを縁まで追い詰め、落下して破滅しそうになります。それが日常の状態で、いつもその境界の縁の部分にいて失敗しそうになりますが、実はこうした縁の部分で成功が立ち上がってくるものなのです。

そして、こうしたイノベーションは小さいからこそ起こせるのであって、大きくなることでそれができなくなります。小さな企業を資金面で援助するベンチャーキャピタルも多くいますが、多額すぎる資金援助や先行投資をすると、イノベーションを進めるより買おうとしてしまいます。

ですから、スタートアップが可能な限りの資金を必要としていると考えるのは間違いで、大金を与えることで彼らを破滅させてしまうこともありえるのです。彼らがそれを理解するのには長い時間がかかるでしょう。しかし、死なない程度にお金があればいいんです。それは冗談めかして**「ラーメン助走路」**と呼ばれています。「昼食にラーメンを食べられるだけのお金があればいい」のであり、もちろんそれはインスタントラーメンでも可です。

最近は日本のベンチャーキャピタルなどはお金が余っていて、良いアイデアを持った良いメンバーを揃えたスタートアップは大学などからかなりの資金が出ているとも聞きます。多額の資金を目の前にして要らないと言うのは非常に難しいですよね。誰も百万ドルを提示されて拒否する勇気はないでしょう。しかし本当に頭の良い人は、甘い話に乗ったら失敗するとわかっています。ですから多くを望まない。ラーメン助走路さえあればやっていけるし、そのおかげでイノベーションを起こしクリエイティブでいられるのです。

「失敗会議」という提案

イノベーションというものは、非効率さや失敗から学ぶという性格のものです。ですからシリコンバレーでは、**「前向きな失敗」**という言い方もあり、失敗して転んでも、そこから立ち上がれば何かを学べると考えます。シリコンバレーの大きなイノベーションは、失敗を道義的問題にしないことで生まれています。それこそ科学が行なってきたことですが、実験をして失敗しても、それを成功のための一部と考えて責めないのです。日本でも失敗や再チャレンジがもっとしやすくなれば、イノベーションが起こりやすくなると思います。

また最近のスタートアップでは「アジャイル開発」が注目されていますが、それは普段からなるべく小さな失敗を重ねておき、それが溜まって大きな失敗につながらないようにするということです。次々起こる失敗も小さなうちにすばやく対応することで、慢性化させずに危機的状況を避けられます。いくら損したと責めずに、これでいいと考える。最近のトレンドでは、こうした小さな失敗は小さい形で早期に起こしてしまう方向ですね。

例えば、第3章で紹介したインディーバイオというインキュベーターは、まったくのスタートアップを十五社抱えています。そして各社に二十五万ドル（約二千七百五十万円）ずつ与えて、研究所に四カ月間入れるようにします。そしてその期間が過ぎるとデモ（プレゼンテーション）をする日が来て、多くの投資家の前で成果を発表し、卒業となります。

四カ月間は自分のアイデアを徹底的に試しますが、周りの全員が助けてくれます。二十五万ドルという少額の援助と、四カ月間の研究室の使用資格およびサポートを受けられます。そして四カ月後の卒業にあたって十五人の卒業生がデモをして成果を示すのです。その結果、さらなる投資を得てプロジェクトを続けられる会社もあれば、そこで終了となる会社もあります。百万ドルの投資で一年間トライしても、失敗するかもしれませんよね。でもこの投資は、四カ月で二十五万ドルです。

とてもスピーディーで、たとえ上手くいかなかったとしても、失敗は最小限です。これこそが**アジャイルである**ということです。もしかしたら、投資家が改めて四カ月の猶予をくれるかもしれません。または、二十五万ドルあるいは倍の五十万ドルを出すから、六カ月後に成果を見せてくれという話があるかもしれません。

では、こういう文化を他の国、例えば日本で育てるにはどうすればいいでしょうか？　日本の友人からは「日本では失敗は『恥』であり非常に難しい」と聞きます。

例えば、失敗した人が、自分の経験を成功した人に対して語るというのはどうでしょうか。失敗を前向きなものにし、社会的に受容できるものにするために、失敗事例だけを扱う会議を開催するのです。参加者は他の参加者を尊重し、そこでは失敗の話しかしないのです。どんな失敗をしたか、どのように失敗したかを競い、失敗して一番大きな損失を出した人に賞をあげる。私はあなたより損したから偉いと自慢する（笑）。

実際に私の友人で、二年前に記録的な損を出して失敗した人がいます。五百万ドル（約五億五千万円）という多額の損失です。彼のスタートアップは多額の損金で破産しましたが、彼はそれを自慢にしていました。

思考を止めないために

残りの人生の長さを日数でカウントする

エルサレムに行ったとき、余命が六カ月しかなかったらどう生きるかという修行をして、その気になっていろいろ考えましたが、それがきっかけで、自分の人生の残り日数を示す時計を使うようになりました。また、音楽家のブライアン・イーノからも、**これからの人生を年単位ではなく日数で考える発想法**を教えてもらいました。

例えば、これから二十年は生きると言うと長く感じますが、日数で考えると七千日余りなんです。生命保険などの資料や政府が出している平均余命の表などから、自分が生まれた一九五二年生まれの人の平均寿命の予測を調べると、例えば七十五歳などと出てきます。そこで私はその七十五歳から現在の年齢を引いて、その長さを日に換算して時計を作るのです。そうするとその日数が毎日減っていき、それをコンピューターで表示しておくと、毎日あと何日生きられるかが表示されます。

「あと六千二百八十日」と具体的に書かれていると、その間に何をすべきかを具体的に考えるようになります。「あと六千二百日あるから今日は何をしよう」と発想でき、やるべきことが多いと気づき、何をしたいかを選べるようになります。

友人のスチュアート・ブランドに教わったことがあります。彼は人生に関する計画をきちんと立てる人ですが、**ほとんどの計画は思いついてからそれが終わるまでの期間は五年**だということに気づいたのです。本だろうが新しい会社だろうがＮＰＯだろうが、平均五年かかっているということです。そこで、これから五年計画でいくつのことができるだろうか、と考えました。彼はおおよそ八十歳なのであと二つぐらいでしょう。私はせいぜい四つか五つでしょうか。人生を基本に計画すると、自分がしたいことで実現できることは多くありません。

こうした作業は、現在何に集中すべきかを決めるために役立ちます。今日という日は、私がしたいことができた日なのか。あと六千日しか生きないなら、今日は良い日でなくては。だから今日はすばらしい日だった、ありがとうと感謝する気持ちになります。

人生に満足している人の共通点

私が若い人に対してアドバイスするとしたら、こう言うでしょう。「自分がこれから進もうと思う道を生きてきた老人と一週間一緒に過ごしなさい。そして、例えば『あなたがこれまでに後悔していることは何ですか？』といったことを尋ね、彼らの自己評価を聞いてみなさい」と。最も尊敬する人について聞いてもいいかもしれません。そしてその理由を考えるのです。

人生に満足している人にはいくつか共通点があります。それは、ずっと**「自分が何者であるか」という疑問を持っている**ということです。他人にはないが自分がより向いている得意なものは何か、という疑問に答えることこそ、最も難しい話なんです。それに答えるには非常に深い真剣な自己洞察が必要です。本当の自分を知るということです。アーティストや発明家や編集者もずっとそれを求めています。

私は編集者として多くの雑誌を読むことでこれを行なってきましたが、それは雑誌が編集者の個性を拡張したものだからです。それらは自己表現であり、何かを表現したい自分に触れなくてはなりません。人生は交渉を上手くやって儲けるというだけのことではないし、何かいいアイデアを持ってがんばるということでもない。会社というのはつまるところ、あなたの個性や人格を表現したあなた自身なのです。自分のことをよくわかっていなかったら、それを拡張した会社が生き残るのは難しいでしょう。

例えば、「明日十億ドル（約千百億円）をあげよう。あなたはそれで何をしたいか？」と本気で問われたら、本当に良い答えを返さなくてはならないですよね。ヨットを買うのも、両親のために家を買うのもいいのですが、ほとんどの人はろくな答えができません。他の十億ドルを持っている人とも違う答えを見つけなくてはいけません。

たいていの人はお金がないことを言い訳にします。お金がないからしたいことができないと言うのは最も意味のない、ビジネスや発明や何かを成し遂げないための、見当違いの言い訳なのです。そしてスタートアップや起業家にとっては、創業時に資金を持ちすぎるのはかえって失敗の原因となります。**お金がない方が、いろいろな手を考え、発明を試みることでクリエイティブになれます。**

もう一つ、私が実践してきたことで若い人にお勧めしたいのは、お金がまったくない貧乏生活を、ある期間進んで体験してみることです。例えばアフリカの村にでも行って二週間暮らしてみるとか、テントと食料を少し持っただけでハイキングしてみるのです。すると、ほとんど何も持たないことの喜びを知ることができ、何もなくてもやっていけるという気づきが得られます。

私は若い頃に自分の家を自ら建ててみたので、もしすべてを失い、家が燃えてしまい、株式市場が崩壊して財産がなくなっても、住む家は自分で建てられるという自信がつきました。寝袋で寝て、豆や米だけで生きるということも経験しました。ですから仕事を失って無一文になるという最悪の事態になっても恐ろしくないし、粗末な食事と寝袋で暮らしても大丈夫という自信があります。底辺の生活をしたことがあるので、スタートアップですべてを失うという最悪の事態も恐ろしくないのです。**進んで貧乏な生活をしてみると、今後リスクを冒すことへの恐怖心がなくなります。**

結婚して子どもができても、それは変わりません。ネパールでは土でできた家に住む、子沢山の家族とも暮らしました。彼らは貧乏でしたが、本当に幸せそうでした。その経験から、子どもに食べ物を十分見つけて、幸せに育てる生活を送れる自信ができました。家を建てている間は、台所もある一部屋に五人家族が一緒に住んでいましたが、やればできると自信がつきました。

子どもには高いベビーカーもベビーサークルも要りません。一番必要なのは、親が一緒に時間を過ごして注意を向けてやることです。高いオモチャは捨てて、本を読み聞かせてあげる方がよっぽどいいでしょう。

書くことは考えるための最良の方法

私は二〇一〇年に、テクノロジーに通底する普遍的な法則を書いた『What Technology Wants』（邦訳は『テクニウム』）という本を著しました。この本を執筆する際は、歴史をたくさん調べ、おびただしい本を読みました。多くは歴史書でテクノロジーやアートの進歩に関する本でした。それらは科学の歴史でもあり、兵器や戦争、テクノロジーの進化に関するものでした。面白い意見を持っている筆者には直接会って話を聞きました。

しかしそうした中で、一番役立ったのは、実際に書いてみることでした。書くことは考えるための方法の一つなんです。書いてみるまで自分が何を考えているのかがはっきりしませんが、**何かを書いてみると、まるで自分がわかっていなかったことに気づく**のです。

そこでまた本を読んだり、多くの人の話を聞いたりしてわかったと納得する……そしてまた書き始めて数行ほど書き加えると、実は自分は何もわかっていなかったとまた考えてしまう。こんなことの繰り返しです。散歩に出かけ、帰って来たとたんに、わかった！ということもあります。それは非常に時間がかかるもので、書き直しながら自分で理解していくのです。私がブログをたくさん書いているのは、こうした理由からです。何かを書いて公開し、主張しているうちに最初の草稿ができます。書いてみようとする過程そのものが、それについて考えることなのです。

私はそれらを、ほぼ同時にこなしています。例えばこんな具合です。ミラーワールドの取材をし、そこで興味を持ったVRについて一本書き、その流れでARクラウドの話を耳にしました。ARクラウドとはどういうものかと思い、調べてみたら「これは面白い」と思うようになりました。これは実現可能なのか、こういう用語を誰か使っているのか、どういう意味があるのか、と調べを進めました。

そこでさらに読み進めようと本を探しましたが見つからず、あったのは論文や記事だけでした。専門家にメールして、それについて書かれた論文を教えてもらい質問しました。そして十分いろいろなものを読んで話したところで、誰もそれについて書いてはいないので自分で書いてみようかと思ったのです。

その後で、いろいろな人に自分の考えを聞いてもらってこの理解でいいのか尋ね、書いたものを渡して意見をもらいました。実現の可能性について知りたくなり、実例を見せてもらおうと関係者に会うことにしました。そのために『WIRED』誌に提案し関係者に会ってインタビューして、いろんな場所に飛んで行って、帰って来たら原稿を出すという話になりました。

それから二カ月ほどの間に、関係者にアポを取って会ってはデモも見せてもらいました。私はいつでも実際に自分で見て体験したことを書こうと考えています。ですからアーミッシュにも直接会いに行ったわけです。具体的な体験が必要なんです。

そうした取材を踏まえ、『WIRED』には通常の二倍の長さの原稿を出しました。書きすぎたので編集部がそれを読んで半分に削りました。

ということで、ARクラウドについて五〜六カ月間考え続け、それについて書き、専門家に会い、徹底的に考えて別の考えも出てきて、アドバイスももらってということをやっていたのです。

気づいたのは、自分は本当の物書きではないということです。ライターの多くは、上手に物語を書く生まれつきの作家のような人たちですが、私は物事の成り立ちや、その裏にある哲学や原理により興味を抱いてしまいます。ですから他のライターと違い、全体の構造や論議の一部を書いているんですね。

あることを理解するための枠組みや理論を示すことが楽しいんです。そうしたことは多くの人やライターには難しいことですが、私には簡単にできるしそれが好きなのです。かえって、良い語り口の物語を書くというのは苦手で、それは他の人にお任せです。

AI時代には「問いを考える」ことが人の仕事になる

今後は、「常に問い続ける」という一種の練習や習慣が、人間にとって最も基本的であり最も価値のある活動になっていくだろうと思います。すでに答えがわかっていることは機械に聞けばいい。人の価値があるとすれば、答えのわからない問いに対して、「こうだったらどうなのか」とか、「これはどうなんだろうか」と考え続けていくことです。

正しいことを問うていく、ということに価値が生まれます。それがイノベーションと呼ばれるものだし、探索やサイエンス、創造性だったりするわけです。**人の仕事は問いを投げかける、そして不確実性を扱うというものになっていく**と思います。

「問い」を考えるための私の思考法について簡単に説明しましょう。問いを投げかけるといっても、ディストピアを想像するようなやり方では、問題は解決できません。余談ですが、SFの映画などを見ると、もうすべてがディストピアの世界を描いていますね。「地球上であああいう生活を将来送りたい」と夢を抱けるようなハリウッドのSFの映画というのは一度も見たことはありません。

一つのやり方としてヒントになるものは、常識とされている、皆が当たり前だと思っていることに疑問を抱く、そしてそれを覆して考えてみるということです。ほとんどの場合、常識と呼ばれているものは正しいのですが、中にはやはり間違っているものも混ざっています。それを発見できれば、新たな洞察になります。ですから、**常識に対して疑問を抱く**という習慣を持つことが大事です。それが新たなストーリーや仮説を作っていくということにつながります。

一つの例としては、例えば「ムーアの法則」（一九六〇年代に米インテル創業者が唱えた、「半導体の集積率は十八カ月で二倍になる」という経験則）が突然止まってしまったらどうなるか、と考えてみる。ずっと続いていくものだと皆考えているが、もしムーアの法則が止まった場合には大きな変化が訪れることになるし、私が言ってきたようなことはほとんど実現しないということになります。その一方で、じゃあ、ムーアの法則がさらに加速したらどうだろうかと考えてみる。いまの二十倍の速さになったらどうなんだろうか。その場合は、毎年の変化が莫大になるということですから、これはまったく異なるストーリーにつながっていくわけです。だから、こういうことでですから、こういう風に常識を覆して考えてみるということが、今後の未来を考えるときの非常に強力なヒントになると思います。

もう一つは、**エビデンスを探す**ことです。未来のストーリーを考える際に、あるアイデアが浮かんだとしましょう。その後にすべきことは、具体的な裏付けを探すということです。関連する研究論文や証拠があるかどうかということを探していくわけです。もしあるのなら、さらにほかにも裏付けとなるエビデンスがあるかということを、どんどん探索していく。こうしてそのストーリーの裏付けを取りながら、本当の予測に作り上げていきます。また逆に、先ほど述べたように、ある事象が加速していった場合、例えばムーアの法則が二十倍に加速した場合にはどうなのかという仮説であれば、それに関連するような裏付けがあるか、研究論文などをサーチするわけです。

未来を構想するプロセスの半分はその着想（アイデア）であり、その残りの半分というのはそれを実現していくためのエビデンス、やり方を探すということなのです。

最後に

これからの五千日は、いままでの五千日よりもっと大きな変化が起きる

インターネットが一般に使われ始めて約五千日が経った頃、ソーシャルメディアがよちよち歩きを始めました。そして、現在はソーシャルメディアが歩き始めてから約五千日が経ったところです。

これからの五千日は、いままでの五千日と比べてもっと大きな変化が起こるでしょう。いまわれわれを取り巻いているテクノロジーは、すでにほとんどが古いものです。木やコンクリートや電気回路でできた、すでに新しくないものです。過去五千日で起きた変化は、すべてのものに対してではなく、ほんのちょっとでしかありません。こうした**ほんのちょっとした変化が、次の五千日でもっと大きな変化をもたらす**のです。しかし世界の95％はまるで変

わらずそのままです。

われわれが論議しているのは、こうしたほんの小さな変化です。しかしその小さな変化が、今後五千日でもっと変化するのです。そのほとんどは物理的な変化ではありません。産業革命は物理的な世界の再配置でした。高い摩天楼や広い道路やダムを造り、都市を再編していきました。しかしこれからは、こういうことは不要です。日本に限らず、世界の人口は減少傾向にあり、これ以上のインフラは要らないからです。

これから起きるほとんどの変化は精神的なもので、われわれ同士の関係性や余暇の過ごし方、自分というものの捉え方や人生観、他人やいろいろな対象とどう関わるかなどの意味を変えていくでしょう。われわれがどういう存在であるか、どうやって物事を理解するのか、科学を変化させどのように真理を追究するかなどの点での変化なのです。そのため、これらの変化は目には見えません。そういう点での変化が五千日の間に起きるのです。

われわれはテクノロジーに対して、案じすぎる傾向があります。古いテクノロジーがもたらした悪い点を問題にせずに、新しいテクノロジーがもたらしそうな危害だけを判断しようとします。新しいテクノロジーで起きそうな悪い点を、これまでのテクノロジーがもたらした多くの悪い点と比較しようとはしません。新しいテクノロジーに対して、もっと公平に見て評価するよう考えるべきです。太陽光発電、暗号通貨、遺伝子工学やＡＩなどすべてに対してです。それらの良い点と悪い点を、現存するテクノロジーのそれと比較するのです。

テクノロジーは「選択の幅」を増やす

私は本書で「テクノロジーには、悪い面が49％、良い面が51％あり、そのために人類は漸《ぜん》次的《じてき》に進歩してきた」と述べました。テクノロジーは強力になればなるほど、それと同じ程度に害を及ぼすようになります。昔は殺人のためにはハンマーでなぐるなどしかありませんでしたが、いまでは放射能でもこれまで存在しなかったウイルスでもドローンでもいいのです。しかし、同時にそのテクノロジーは新たな選択肢を与えてくれます。新しい方法で相手を傷つけることもできれば、助けることもできる。**新たな選択ができるようになる**ということですね。

何か害になることをする自由が、結局は良い結果をもたらすというのは不思議な話です。しかし、新たな選択肢が増えるなら、そのテクノロジーを使う価値はあるのです。そこで生じるたった数%の良い点があれば十分だからです。

先に述べたように、歴史を見ればそれがわかります。バランスを取ると良い方が悪い方を少しだけ上回るので、総体では良い結果になるのです。

例えば気候変動問題に関して考えてみましょう。テクノロジーの進歩は、多くの便利なものを作り出し、われわれの生活をより便利で安全なものにしてきました。その副産物の一つとして、気候変動問題を挙げる人もいます。

しかし、われわれはまた、テクノロジーによって気候変動を管理していくことができると私は考えています。解決は難しいかもしれませんが、管理はできるでしょう。例えば、実際の気温上昇を管理して、海面上昇率や気候を長期的に調整していく。過去の値にすることはできないかもしれませんが、変化を最小限に抑えて変化に対応するのです。何らかの変化が起きたら、その都度それに対応していけばいい。なぜならそれには非常に長い時間がかかるからです。それなのに多くの人は、来年問題が解決される、といったことを期待してしまいます。でもそれは実際には例えば七十年もかかる話で、時間をかけて変化や変化率を管理していくということになるのです。

あるテクノロジーに対する解決は、**テクノロジーを減らすのではなく、良いものにしていくこと**です。評論家や環境活動家は、「テクノロジーを使いすぎて問題が起きているから、世界中でそれらを使うのを抑えるべきだ」と主張しますが、それは違うと思います。より多くの、良いテクノロジーを増やすということでしか解決はできないのです。

あとがき――大野和基

楽観主義者であるということ

一番難しいのは自分を知ること

「はじめに」で書いたように、本書の元になったインタビューの大半は、サンフランシスコ空港から西に十二～十三キロほど行った山麓に位置する、自然に囲まれたケヴィン・ケリーの自宅で行なわれた。

ホテルからその自宅に日々通った二〇一九年の夏を思い返すと、ケヴィンとの対話が嚆矢《こうし》となってそれまでの自分の人生や生き方を内省するようになった年であった。それほどまでにケヴィンの語りは私に思考の糧を多く与えてくれたのである。特に第5章「テクノロジーに耳を傾ければ未来がわかる」、第6章「イノベーションと成功のジレンマ」を読むとほとんどの人は、自分の人生について内省を促されるのではないだろうか。

のんきに構えていると、加速する変化から取り残されるのではないかという焦燥が一瞬脳裏をよぎるが、その変化に振り回されないためには、ケヴィンの言うように「学び方を学ぶ」ことである。

方法は人によって異なるが、「学校の教育は専門的でなく、できる限り広いものを対象とし、ジェネラリストを育てるべき」で、「全体的には広い視点を持ち続けなくては」ならないのである。学校教育が終わるとそこで学びは終わりではなく、それが土台になって、そこから自分なりの「学び方を学ぶ」方法を見つけなければならない。

私自身の人生を少し振り返ると、かなり迂回した人生を歩んできた。日本ではアメリカ文学、国際関係などを勉強し、アメリカでは化学を専攻したあと、医学部に行き、二年で中退して、このジャーナリズムの世界に入ったのだから、これは誰の目から見ても究極の迂回人生である。知人の中には「なぜ医学部をやめたのか。もったいない」と言う人も複数いたが、答えは簡単である。医師が明らかに自分に向いていないことに気づいたからだ。

ほとんどの人は本当の自分を知らないまま生きているが、ケヴィンは「他人にはないが自分がより向いている得意なものは何か、という疑問に答えることこそ、最も難しい話なんです。それに答えるには非常に深い真剣な自己洞察が必要です」と言う。

ジャーナリストという職業はケヴィンとの共通項であるので、確かに思考法、発想法などの点では通底するところが多い。これまでどこにも語られていない一次情報を収集するべく、人に直接会って話を聞く。そして書く。「何かを書いてみると、まるで自分がわかっていなかったことに気づくのです」とケヴィンは言うが、だからこそ、「具体的な体験が必要」である。いくら本や論文を読んでも腑《ふ》に落ちない。疑問点がたくさん出てくる。その疑問点を解消するべく、著者に直接会う。これがジャーナリストの基本中の基本である。

そういう意味で、読書の限界を一番よく知っているのはジャーナリストかもしれない。

多くの成功者の共通点

私はこの三十五年間のジャーナリスト人生で、何千人もの人にインタビューし、いわゆる成功者と言われる人にも数多く会ってきた。

彼らに共通するのは、楽観主義者であることだ。例外はない。

ケヴィンもまた然り、「それはほとんど信仰や信念に近いもの」であると彼は言うが、その信念は楽観主義教という宗教であると断言してもおかしくないと思うほど強い。一見どこから手をつけていいのかわからないほど不可能に見えても、それを突破するのは根が楽観主義であるから可能になると言っても過言ではないだろう。楽観主義であるがゆえに、ケヴィンの言う「能動的な想像力」が湧き出るのである。

日本社会は失敗した人を白眼視する傾向にあるが、ケヴィンは「失敗を前向きなものにし、社会的に受容できるものにするために、失敗事例だけを扱う会議」、いわば「失敗会議」を提案している。

私がこれまでにインタビューした「成功者」たちも、成功から学べることはないと異口同音に言い切る。ノーベル賞受賞者にも二十人ほどインタビューしたが、昨年ノーベル化学賞を受賞したジェニファー・ダウドナ氏は、本書にも出てくる遺伝子編集テクノロジー、クリスパー・キャスナインを開発したすこぶる才能のある科学者である。その彼女が「ほとんどの実験は失敗します」と笑いながら言っていたのを思い出す。何年間もの失敗の連続から成功するには偶然の僥倖《ぎょうこう》が必要であるが、その僥倖がやってくるのは楽観主義者にだけなのかもしれない。

最後にこのインタビューの企画をし、取材にも同行し、さらに編集をしていただいた大岩央氏、このロングインタビューを丁寧に翻訳していただいた服部桂氏、そして、日々長時間のインタビューに応じてくれたケヴィン・ケリー氏に対して、改めてこの場を借りて感謝の気持ちを表したいと思う。

大野和基

二〇二一年九月　那須高原にて

訳者解説――服部 桂

ケヴィン・ケリーにはなぜ未来が見えるのか？

テクノロジーの本質に迫る論客

二一世紀が始まってすでに二十年が経ち、デジタルネイティブとも言われるZ世代の若者も成人になりつつある。しかし、この世紀を人間にたとえるなら、いまだに大人とは程遠いようないくつもの波乱に満ちた展開を続けている。

ケヴィン・ケリー世代にとっては、若い頃に夢見た未来の象徴だった新世紀がアメリカ同時多発テロで始まったのは皮肉な話だった。次いで〇八年のリーマン・ショック、一一年には東日本大震災や原発事故があり、一九年に出現した新型コロナウイルスが百年前のスペイン風邪を彷彿《ほうふつ》させるような惨禍をいまだに引き起こしている。

一方では、一九九〇年代に花開いたインターネットがデジタル化の急先鋒として拡大し続け、誰もが自由に情報を扱い発信できるようになった。同時に、スマホやSNSが国家の規模を超えて国際経済や政治にまで影響を及ぼし、GAFAが国際社会の命運を左右する規模にまで成長するという、想像もできなかった状況が現実のものになっている。

こうした激動はなぜ起こり、世界はどこに向かっているのか？ ケヴィンが言うようにAIとミラーワールドが支配する未来がもうすぐやってくるのだろうか？

それらの背景にある最も象徴的な要因を探ってみると、ITやICTにも使われる「テクノロジー」という言葉に行き着く。最近のデジタルに限らず、人類の歴史をひもとけば、石器時代から産業革命4・0までの文明のステージを決定づけて来たのは、まさにこうした様々なテクノロジーだった。

デジタル時代の予言者とも呼ばれるケヴィン・ケリーは、このテクノロジーを正面から捉え、その本質に迫って、現在の最も重要な問題の核心に切り込む論客の一人として、数々の著書や講演を通して世界中で多くのファンを獲得している。

一九九二年の『「複雑系」を超えて――システムを永久進化させる9つの法則』（アスキー、九九年：Out of Control）から始まり、九八年の『ニューエコノミー勝者の条件』（ダイヤモンド社、九九年：New Rules for the New Economy）、二〇一〇年の『テクニウム』（みすず書房、一四年：What Technology Wants)、一六年の『〈インターネット〉の次に来るもの』（NHK出版、一六年：The Inevitable）と立て続けに、テクノロジーを題材にした革新的な著書を世に送り出し、それらがすべて広い読者層から高い評価を受けている。

ケヴィン・ケリーの生きた時代とテクノロジー

本書でもケヴィンが自らの経歴を語っているが、彼の主張するテクノロジー像をより深く理解するために、著書や『「テクニウム」を超えて』（インプレスR&D、一五年）、雑誌『WIRED』で行なったインタビューなどを参照しながら、彼の育った時代背景を含めて少々補足してみよう。

彼の生まれた一九五二年は、やっと戦後の混乱が収まり、新しい工業化やインフラ整備が進み始めた頃だ。五〇年代にはカラーテレビ放送も始まり、五六年には人工知能会議が開かれ、五七年にはソ連が人工衛星スプートニクを打ち上げて、新しいテクノロジーが世界を大きく変え始めていた。彼の前後のベビーブーマーと呼ばれる戦後世代が、その後のトレンドを牽引していく。

六〇年代には宇宙時代も本格化し、ケネディ大統領がアポロ計画で人間を月に送ると宣言した。その一方でベトナム戦争が起きて若者が戦場に送られ、大学では反戦運動や公民権運動が激化し、若者はロックに群がってLSDなどのドラッグも広まり、社会からドロップアウトして自由に生きるヒッピーが増えた。親世代の文化に異議申し立てをするカウンターカルチャーが花開いた時代だ。

戦時中に開発が進んだコンピューターは、ソ連に宇宙開発で先を越されて安全保障の危機に陥った米国防総省が、ARPAと呼ばれる研究支援機関を作って豊富な研究資金を注ぎ込むことで一挙に研究が進み、インターネットの祖先のARPAネットも作られた。そうしてIBMに代表される大型コンピューターが情報化の司令塔のような存在となり、政府や大企業の中心で計算能力を発揮し始めた。

人間を月に送り込み、はたまた冷戦の後方支援にも活用されるばかりか、大企業の戦略を支援するコンピューターという存在に、未来への期待を抱く人もいたが、それが逆に人類を支配してしまうのではないか、という恐れを抱く人も増えてきた。

若者はこうした新しいテクノロジーの波に直面しながら、自分たちの世代のアイデンティティーを求めることになる。体制側に取り込まれることを嫌ってヒッピーになった若者は、一九六八年にスチュアート・ブランドが始めた、宇宙開発で初めて見えた地球全体の姿を捉えた写真を使った地球意識を謳う雑誌『ホール・アース・カタログ』に群がり、企業や政府とは一線を画す、自然エネルギーを使った社会や生活を手作りする自立した生き方を模索し始めた（なお、この雑誌は後にスティーブ・ジョブズが二〇〇五年のスタンフォード大学の卒業式のスピーチで引用し、話題になった）。

当時高校生だったケヴィンも、こうした潮流の真っただ中にいた。父親が気象学の専門家で、数学や科学が好きで、自分の部屋に自然博物館を作っていたというが、アートにも興味があり、テクノロジーとアート表現の両方をこなせる写真に興味を持つようになった。

大学に入った年の夏休み、読書にふけっているとき、詩人ウォルト・ホイットマンが全米を自由に彷徨《さまよ》って書いた『草の葉』（一八五五）を読んで感動し、台湾に留学していた友人の勧めで、カメラだけを持った自由な放浪の旅に出ることになった。日本や中国やインド、さらには中東まで十年間近くも行き来する生活をするようになる。

パソコンの出現とテクノロジー観の変容

当初、ケヴィンは「権力者の道具」であるとしてコンピューターを嫌っていたが、七〇年代の末にアップルなどのパソコンが出始め、旅行ガイドの出版などをする仕事で使うようになった。友人からパソコンを電話につなぐパソコン通信について教えてもらい、小さくなったコンピューターがコミュニケーションの道具となると、その先に人々の新しいコミュニティーができていることに気づき、テクノロジーに対する考え方を改めるようになる。

さらに憧れの『ホール・アース・カタログ』のブランドの依頼でパソコン用ソフトの評価をする雑誌を手伝うことになり、同時にＴｈｅ Ｗｅｌｌという初期のインターネットにつながった会議システムも運用した経験から、最先端のテクノロジーに詳しくなる。

一九八四年にはスティーブン・レビーの『ハッカーズ』という本が出て、若者たちがコンピューターの作る新しい世界でエキスパートになって独自の文化を展開している姿に興味を抱き、新旧のコンピューター開発者たちを一堂に集めたハッカー会議を開催する。

また、『ホール・アース・レビュー』（『ホール・アース・カタログ』の後継雑誌）の編集を担当し、パソコン文化が開花しつつあったシリコンバレーとのつながりも増え、一九九〇年にはVRを初めて世に問う「サーバーソン」というイベントも開催している。

そして、雑誌取材など通して得たテクノロジーのトレンドをまとめた初の著書『「複雑系」を超えて――システムを永久進化させる9つの法則』には、インターネットが一般化し始めたばかりの情報世界全体が、生命現象のように複雑な動きを遂げている姿を描いた。

その後はデジタル時代の文化を牽引する雑誌『WIRED』を率い、テクノロジー自体だけでなく、それが引き起こす文化や経済、社会の変化までを幅広く取材したが、雑誌が大手出版社コンデ・ナストに吸収され、「大きな会社では働きたくない」とフリーランスになる。

九八年には、前著の複雑系理論が経済に及ぼす影響に対しての反響が大きかったので、『ニューエコノミー勝者の条件』を書き、「勝者総取り」の法則やフリーミアム経済についての指摘が話題を呼び、ネット時代の新しいビジネスのあり方を示す本として注目されるようになった。

テクノロジーは生命だ――「テクニウム」の思想

徐々に最新テクノロジーとの付き合いが増えると、若い頃の科学やアートへの興味、テクノロジーへの複雑な思いなどが蘇り、「そもそもこうしたすべての事象の基底にあるテクノロジーとは何なのか？」という想いがつのった。

そこでテクノロジーに詳しそうな研究者やアーティストなどにインタビューし、ネットのブログを介して問いかけるうちに、テクノロジーの意味を正確に捉えている人が誰もいないのに気づいた。

それなら自分で探究するしかない、と数年間苦労して書き上げたのが二〇一〇年の『テクニウム』だった。最初の複雑系の著書ですでに情報の世界と生命の類似性について指摘はしていたが、さらに論議を深め、テクノロジー自体が生命と同じく宇宙を構成する「テクニウム」という大きな構造の一部であることを主張するものだ。

それはつまり、こういうことである。テクノロジーは人間が人工的な技巧を駆使した便利な手法としか思われていないが、テクノロジーの発生から進化までを眺めてみると、生命の発生や進化と瓜二つだ。生命の基本要素であるDNAに匹敵するデジタルの1と0の論理が集合し、情報としての秩序をコードやプログラムとして持ち、それが生物の個体のようなガジェットになり、さらに群のようにネットでつながって展開すると、人間と共存して大きな社会的経済的な現象として機能する。

そう考えるなら、人間の歴史のステージを決定づけているテクノロジーは、宇宙の生命と共存するもう一つの生命のカテゴリー（分類学上の最上位の〝界〟）ではないか、というのが彼の主張だ。宇宙自体はビッグバンの頃にはエネルギーしかなく、それがほんの一瞬の後に冷えて物質化し、さらに天体や銀河系ができ、その後に無機質な物質同士の関係性が生じ、すべてが散逸してランダムに均一化する熱力学の法則に逆らうように、情報の秩序を形成して生命が生じた。こうした物質界の秩序によって生まれた生命とテクノロジーは同じレベルで論議してもかまわないと彼は考えている。

さらにこの壮大な話が評判となり、中国語に翻訳されると、この話を現実のネットやデジタルの世界に応用する話が寄せられるようになった。こうしたより具体的な実践的事例を含めて書かれたのが、一六年に書かれた『〈インターネット〉の次に来るもの』だ。

これからの五千日に向けて

ケヴィンは以上をもっていったん著書を書くことから離れているが、本書では、これらの著書でケヴィンが描いてきたデジタル時代のテクノロジーを基軸に、コロナ以降の近未来社会について、世界で話題の最先端の知識人を多数インタビューしている大野和基氏と編集者の大岩央氏がするどく切り込んだ。

「テクノロジーに耳を傾ければ未来がわかる」という彼の主張は、生物の特徴を冷静に観察することで種を分類したリンネのようだ。日々新たにリリースされる個々の製品やトレンドに目を奪われずに、その基本にあるもっと深い構造を観察すれば、ダーウィンが多くの生物全体を観察して進化論を展開したように、テクノロジーが作る世界がどのような傾向を持ち、どちらに向かって行くかも見定めることができるというものだ。

テクノロジーの姿が変化しても、それを観察するわれわれ人間の本質は変わらない。対象の変化に目を奪われることなく、自分の心や本質に向き合って冷静に世界を見るなら、どんな変化にも対応できる。アジアを彷徨い、東洋の心と西洋の知で、テクノロジーがもたらす

「ほんの少しの良い傾向」を見逃さない彼の言葉に耳を傾けてみれば、あなたにもきっと未来が見えてくるだろう。

二〇二一年九月十一日

服部　桂

著者略歴

ケヴィン・ケリー［Kevin Kelly］

編集者、著述家。1993年に雑誌『WIRED』を共同で設立、創刊編集長を務める。これまでにスティーブ・ジョブズやビル・ゲイツ、ジェフ・ベゾスなど、数多くの起業家を取材。現在は、『NYTimes』や『サイエンス』などに寄稿するほか、編集長として毎月50万人のユニークビジターをもつウェブサイトCool Toolsを運営。主な著書に『テクニウム』(みすず書房)、『〈インターネット〉の次に来るもの』(NHK出版)など。

インタビュー・編者略歴

大野和基［おおの・かずもと］

1955年、兵庫県生まれ。大阪府立北野高校、東京外国語大学英米学科卒業。79〜97年渡米。コーネル大学で化学、ニューヨーク医科大学で基礎医学を学ぶ。その後、現地でジャーナリストとしての活動を開始、国際情勢の裏側、医療問題から経済まで幅広い分野の取材・執筆を行う。97年に帰国後も取材のため、頻繁に渡航。アメリカの最新事情に精通している。著書に『代理出産　生殖ビジネスと命の尊厳』(集英社新書)、訳書に『世界史の針が巻き戻るとき』(マルクス・ガブリエル著)、編著書に『未完の資本主義』『自由の奪還』(以上、ＰＨＰ新書)など多数。

訳者略歴

服部　桂［はっとり・かつら］

ジャーナリスト、関西大学客員教授。早稲田大学理工学部修士課程修了。朝日新聞社で科学部記者などを経て現職。著書に『マクルーハンはメッセージ』(イースト・プレス)、『VR原論』(翔泳社)、訳書に『テクニウム』(みすず書房)、『〈インターネット〉の次に来るもの』(NHK出版)(以上、ケヴィン・ケリー著)など多数。

※本書では米国版『WIRED』2019年３月号へのケヴィン・ケリーによる寄稿、及びケヴィン・ケリー来日時のイベントトークを一部収録している。
※本書内のドル表記は１ドル約110円（2021年９月現在）として換算している。

PHP新書
PHP INTERFACE
https://www.php.co.jp/

5000日後の世界
（PHP新書 1281）

すべてがAIと接続された「ミラーワールド」が訪れる

二〇二一年十月二十八日　第一版第一刷

著者――ケヴィン・ケリー
インタビュー・編――大野和基
訳者――服部 桂
発行者――永田貴之
発行所――株式会社PHP研究所
東京本部――〒135-8137 江東区豊洲5-6-52
第一制作部 ☎03-3520-9615（編集）
普及部 ☎03-3520-9630（販売）
京都本部――〒601-8411 京都市南区西九条北ノ内町11
組版――有限会社メディアネット
装幀者――芦澤泰偉＋児崎雅淑
印刷所
製本所――図書印刷株式会社

ISBN978-4-569-85050-4

ＰＨＰ新書刊行にあたって

「繁栄を通じて平和と幸福を」（PEACE and HAPPINESS through PROSPERITY）の願いのもと、ＰＨＰ研究所が創設されて今年で五十周年を迎えます。その歩みは、日本人が先の戦争を乗り越え、並々ならぬ努力を続けて、今日の繁栄を築き上げてきた軌跡に重なります。

しかし、平和で豊かな生活を手にした現在、多くの日本人は、自分が何のために生きているのか、どのように生きていきたいのかを、見失いつつあるように思われます。そして、その間にも、日本国内や世界のみならず地球規模での大きな変化が日々生起し、解決すべき問題となって私たちのもとに押し寄せてきます。

このような時代に人生の確かな価値を見出し、生きる喜びに満ちあふれた社会を実現するために、いま何が求められているのでしょうか。それは、先達が培ってきた知恵を紡ぎ直すこと、その上で自分たち一人一人がおかれた現実と進むべき未来について丹念に考えていくこと以外にはありません。

その営みは、単なる知識に終わらない深い思索へ、そしてよく生きるための哲学への旅でもあります。弊所が創設五十周年を迎えましたのを機に、ＰＨＰ新書を創刊し、この新たな旅を読者と共に歩んでいきたいと思っています。多くの読者の共感と支援を心よりお願いいたします。

一九九六年十月

ＰＨＰ研究所